艺术

[英]肖恩·亚瑟 编著

刘漪 译

【版权所有，请勿翻印、转载】

湖南省版权局著作权合同登记图字：18-2022-040

Copyright © Shaun Usher, 2020. First published in Great Britain in 2020 by Canongate Books Ltd. Copyright licensed by Canongate Books Ltd., arranged with Andrew Nurnberg Associates International Limited. Art direction and design: Rafaela Romaya, 'Homage to van Gogh' illustration © Henry Hudson. Simplified Chinese edition copyright 2022 by Hunan Fine Arts Publishing House Co., Ltd in association with Penguin Random House North Asia. All rights reserved.

本书仅限中国大陆地区发行销售

"企鹅"及其相关标识是企鹅兰登已经注册或尚未注册的商标。
未经允许，不得擅用。
凡无企鹅防伪标识者均属未经授权之非法版本。

图书在版编目（CIP）数据

见字如面. 艺术 /（英）肖恩·亚瑟 (Shaun Usher) 编著；
刘漪译. —长沙：湖南美术出版社, 2022.9
书名原文: LETTERS OF NOTE: ART
ISBN 978-7-5356-9805-6

Ⅰ. ①见… Ⅱ. ①肖… ②刘… Ⅲ. ①书信集—世界
Ⅳ. ①I16

中国版本图书馆CIP数据核字(2022)第076187号

见字如面．艺术
JIAN ZI RU MIAN. YISHU

出 版 人：黄　啸
编　 著：[英] 肖恩·亚瑟
译　 者：刘　漪
策　 划：王柳润　瞿　力
责任编辑：潘旖妍　姚　帆
责任校对：何雨虹
出版发行：湖南美术出版社
　　　　　（长沙市东二环一段622号）
经　 销：湖南省新华书店
印　 刷：湖南省众鑫印务有限公司
　　　　　（湖南省长沙市长沙县榔梨街道梨江大道20号）
开　 本：787mm×1000mm　1/32
印　 张：4.875
版　 次：2022年9月第1版
印　 次：2022年9月第1次印刷
书　 号：ISBN 978-7-5356-9805-6
定　 价：28.00元

邮购联系：0731-84787105　　邮编：410016
网址：http：//www.arts-press.com
电子邮箱：market@arts-press.com
如有倒装、破损、少页等印装质量问题，请与印刷厂联系调换。
联系电话：0731-86807567

2009年,一个庆祝书信这种老式通信方式的网站"lettersofnote.com"上线,"见字如面"计划随之诞生。从那时到现在,该网站已被访问超过一亿次。《见字如面》的第一卷于2013年10月出版。同年晚些时候,我们又举办了第一次"书信现场"活动,让世界顶级表演者为听众们现场朗诵精彩书信。

从此,"见字如面"和"书信现场"这对"孪生姐妹"并肩成长,前者火遍全球,后者在世界各地的许多标志性场馆举办:从伦敦的皇家阿尔伯特音乐厅,到洛杉矶的王牌酒店。

如欲获取更多详情,可访问"lettersofnote.com"和"letterslive.com"。现在,"见字如面"的最新系列还有了音频版可供收听。我们的朗读者阵容人才济济,选自广受好评的"书信现场"演出的固定表演班底。

目 录

	前　言	3
信件 01	**画布有一种白痴般的凝视**	8
	文森特·凡·高致提奥·凡·高	
信件 02	**去他的艺术界的压力**	11
	露西·利帕德致一位年轻的女艺术家	
信件 03	**多美啊！**	14
	萨尔瓦多·达利致费德里科·加西亚·洛尔迦	
信件 04	**我决不会忍受这个**	17
	奥斯卡·豪致珍妮·斯诺德格拉斯·金	
信件 05	**如果我是个男人，**	
	我无法想象这种事情会发生！	20
	阿特米西娅·真蒂莱斯基致	
	堂·安东尼奥·鲁福	
信件 06	**我们为什么不再能像浪漫派那样作画了？**	24
	卡尔·荣格致阿诺德·库布勒	

信件 07	全是为了爱和荣誉 荷利斯·法朗普顿致 纽约现代艺术博物馆	28
信件 08	艺术是一种强大的智力刺激 玛丽·卡塞特致西奥达蒂·蒲伯	39
信件 09	风景画家的一天令人愉悦 让-巴蒂斯特·卡米耶·柯罗致 不知名收信人	43
信件 10	艺术家必须掌握自然 亨利·马蒂斯致亨利·克利弗德	46
信件 11	让我和艺术家交朋友吧 J.D. 弗格森致玛格丽特·莫里斯	52
信件 12	格外仇视的对象 哈丽雅特·霍斯默致《艺术辑刊》	56
信件 13	"涂鸭"丑得像屎一样 迈克尔·格拉迪致艾丽西亚·麦卡锡	61
信件 14	波普艺术是…… 理查德·汉密尔顿致 彼得·史密森和艾莉森·史密森	65

信件 15	**多样性保证了我们的文化存续**	70
	马丁·斯科塞斯致《纽约时报》	
信件 16	**对美国白人的"绅士风度"提出这点要求，算过分吗？**	74
	奥古斯塔·萨维奇致纽约《世界报》	
信件 17	**艺术是一场前往未知世界的冒险**	79
	马克·罗斯科与阿道夫·戈特利布致《纽约时报》	
信件 18	**最壮观的单色景象之展演**	85
	伊夫·克莱因致国际核爆炸检测委员会主席	
信件 19	**如果它没有经过深思熟虑，它就什么都不是**	89
	奥斯卡·王尔德致玛丽·普雷斯考特	
信件 20	**亲爱的编辑**	93
	阿德里安·派珀致多名编辑	
信件 21	**绘画和雕塑完全是一回事**	102
	米开朗琪罗致贝内代托·瓦尔基	
信件 22	**成为艺术家，是因为这样你才能活着**	105
	舍伍德·安德森致约翰·安德森	

信件 23	**那个人的四肢画得多么好啊!** 宝拉·莫德松 - 贝克尔致 卡尔·沃尔德玛·贝克尔	110
信件 24	**具体来说,就是一场决斗** 马克·波林致丹尼斯·奥本海默	114
信件 25	**我不再是个艺术家了** 保罗·纳什致玛格丽特·纳什	117
信件 26	**一板会爆炸的巧克力** 维克托·罗斯柴尔德勋爵致 劳伦斯·菲什	120
信件 27	**让那个展览见鬼去吧** 弗里达·卡洛致尼古拉斯·穆雷	124
信件 28	**我不是他的"莫里茨"** 米克·贾格尔与 M.C.·埃舍尔	131
信件 29	**我被 MOCA 的决定震惊了** 汉斯·哈克致理查德·科夏莱克	135
信件 30	**放手去做!** 索尔·勒维特致伊娃·海瑟	139

一封信是一枚定时炸弹,是一条瓶中信,是一句咒语,是一声呼救,是一则故事,是一段关切的表达,是一次爱的递送,是一种通过文字互相联结的方式。今天,这种简单且非常大众的艺术形式仍是一种有力的沟通手段。不管我们正经历什么样的技术革命浪潮,书信都不会消失,它会像文学一样永远存在。

前　言

把这本书想象成一个画廊。

或者不如说，一个可以放进你口袋的私人画廊，没有规则可言。没错，你可以触摸展品。你当然可以开着闪光灯拍照。不，你完全无须轻声细语。在这个画廊的墙上，可以看到三十封值得阅读的信件，其中每一封都以某种方式照亮了艺术史上的不同时刻，而这都是为了供你欣赏。这些信中的大多数，但不是全部，出自古往今来的艺术家本人笔下——艺术家们暂时放下铅笔、画笔和凿子，以文字为媒介来创造让我们得以一窥艺术世界的窗子，接下来你就将透过这些窗子张望。

就像艺术经常可以做到的那样，这些信件中的一些成了通向特定时间和地点的入口。正如康斯太布尔的《干草车》会立刻把你带到19世纪一个宁静多云的日子里的斯托尔河畔,战争艺术家保罗·纳什写给他妻子的惨淡凄凉的信函也会让你仿佛置身第二次世界大战期间地狱般的战场上;正如伦勃朗的《自画像》中粗线条而富于表现力的笔触揭示了一个你从未见过的人的许多特征一样,意大利画家阿特米西娅·真蒂莱斯基写给她的赞助人的那封充满反抗精神的信,也能让这位大胆而坚定的作者仿佛活灵活现地立于你眼前,那封信写于一个社会千方百计阻挠她获得成功的时代。

此外,透过艺术家的信件听到他们的声音,可以是一种奇怪而美妙的体验。我清楚地记得我第一次读到萨尔瓦多·达利信件时的感觉。他那仿佛来自异世界的绘画非语言可以描述,他画笔下那梦幻般的场域遍布着让人感到迷惑、眩晕的景象,导致观看其作品的体验近于幻觉。但我一点也没想到他的信会在我身上引起类似的反应。然而,此刻我手里拿着一封信,对他似乎只是信口胡说的"流浪的胸部"和"一窝被麻醉的黄蜂"感到困惑和好笑,但又很高兴能通过另一种媒介听到他响亮而清晰的声音——是他的艺术驱动了这封信,而对此我奇怪地感到快慰。

信件为艺术家提供了一个不同的创作途径，以及一种讨论他们推向世界的最终产品的方式。能够读到他们的创作过程、他们的恐惧和激动，这是一个非常宝贵的机会，不容忽视。

在成年后的大部分时间里，我都在疯狂地筛选他人的信件，从中寻找最新的杰作。我坚信，有些信件本身可以也应该被视为艺术作品——无价的、往往具有重要文化意义的物品，可以被尽可能多的受众享受和欣赏。这就是为什么在我写作的时候，挂在我左边墙上的画框里的是索尔·勒维特写给同为艺术家的伊娃·海瑟的那封无与伦比的鼓励信。这是一封极其强力、发人深思和富有创造性的信函，因此它也被收入了你手中的这本书，作为全书的最后一篇。它的800个词中的每一个都像任何油画的每一笔那样意义重大。

也许，当你离开这个小小的画廊时，你也会想在自己的墙上挂上这么一个画框。

肖恩·亚瑟
2020

The Letters

—— 信件 01

画布有一种白痴般的凝视

文森特·凡·高致提奥·凡·高

1884 年 10 月 2 日

  直到他 30 多岁的时候,荷兰画家文森特·凡·高才确定了自己的天职是成为一名艺术家。他 1853 年出生在津德尔特,早年换过许多份工作,唯一真正专注的是他日益加深的宗教热忱。1879 年,他在比利时担任传教士,居住环境肮脏污秽。多年来一直在经济上支持他的家人正在失去耐心,他的父亲甚至一度试图将他送进精神病院。1881 年,在弟弟提奥的资助下,文森特开始绘画,并将他余生的大部分时间花在了创作那些他后来赖以成名的作品上。1884 年,31 岁的他给弟弟写了这封信。再过六年,文森特就在极度抑郁中结束了自己的生命。

—— **信件正文**

我亲爱的提奥：

谢谢你的来信,谢谢你随信寄来的钱。现在听着……

我告诉你,如果一个人想要做些什么,他就不要害怕有时会做错事,不要害怕犯一些错误。做个好人——许多人认为他们能通过"不做坏事"来实现它,而这是个谎言,你自己以前也说过这是个谎言。这会导致停滞,导致平庸。当你看到空白的画布用那种愚蠢的目光盯着你看的时候,就往上面抹点什么东西。

你不知道那多让人无力,那种空白画布注视你的眼神,它在对画家说"你什么都做不了"。画布有一种白痴般的凝视,它催眠了一些画家,让他们自己也变成白痴。许多画家害怕空白的画布,但空白的画布害怕真正充满激情的画家,他敢于打破——也曾经打破过——"你不能"的魔咒。

生活本身也总是朝向一片无尽的无意义、令人沮丧、令人失去斗志的空白表面前进,这个空白的表面上什么都没有,就像一张空白画布一样。

但是,不管有多么无谓和虚空,不管生命显得多么了无生趣,一个有信仰、有能量、有热情、懂得一些事情的人,不会让自己就这样被打垮。他介入,他做一些事情,然后抓住它们不放,简而言之,他破坏,他"犯规"——人们会这样说他。

尽管让他们说去吧,那些冷漠的神学家。

你忠实的

文森特

—— 信件 02

去他的艺术界的压力

露西·利帕德致一位年轻的女艺术家

1974 年

1974 年,加州艺术学院女性主义艺术项目的联合创始人兼主任米丽娅姆·夏皮罗鼓励她的 17 名女学生给艺术界的著名女性写信,请求她们回信,给"一位年轻的女艺术家"提供建议。这些珍贵的信件随后被编入《女人没有名字》,作为当年女性艺术节的一部分出版。很快,她们就收到了其中 71 位女性的回信,回信者中就有露西·利帕德——一位备受尊敬和有影响力的作家、策展人、艺术评论家和女权主义者,她的成就鲜少有人能够匹敌。

―― 信件正文

1974年3月6日
纽约王子街138号
邮编10012

致一位年轻的女艺术家：

很抱歉这封信不能写得更长，因为我有许多话想对你说，但请尽量在字里行间读出我没来得及说的那些话。我希望你愤怒但不要被愤怒所累，并趁着你心里有愤怒的时候，利用它。我希望你总是能时不时地感到愤怒，直到不单是女艺术家，而是所有女性的境况都得到改善为止；我希望你的工作首先源于你自身，并且当需要出去面对人群时，知道该如何让艺术界的种种压力去他的；我希望你同时也为所有其他人而工作；我希望你成为那个想出法子来让艺术免于在这个社会里被人以错误的方式使用，或为了错误的目的而使用的人；我希望你创作的艺术能触及更多人，触及所有的女性和每一个人；我希望你现在就考虑这些，而不是等到你扬名立万了再开始考虑，因为那一天很可能会来得太晚。我希望你记住，做一个女权主义者意味着一份真正的、"成为人"的责任。我还希望……我对你寄予无限多的希望。

           爱你的

         露西·利帕德

—— 信件 03

多美啊!

萨尔瓦多·达利致费德里科·加西亚·洛尔迦

1927 年 12 月

　　萨尔瓦多·达利 1904 年出生于西班牙加泰罗尼亚。他的作品闻名于世,很大程度上要归功于其超现实、梦幻般的特质,他最具标志性的那些画作中充满了视错觉、扭曲的风景、熔化的物体和性意象。这一点,再加上他本身就堪称一件艺术作品的浮夸个性,牢牢确立了他在艺术史上的地位。1923 年,在大学里,达利结识了诗人费德里科·加西亚·洛尔迦,并与他成了亲密的朋友。有一段时间,他们就一系列话题展开通信。达利的信和之前被写出来的任何文字都迥然不同,也是意料之中的。

—— 信件正文

费德里科：

我正在画的这些画让我快乐得欲仙欲死。我用一种纯粹自然的方式创作，没有丝毫艺术上的忧虑。我找到那些深深打动我的东西，并尝试诚实地绘画，也就是说，精确地绘画。在这个意义上，我开始完全地理解各个感官。有时我想我已经找回了童年时的"幻觉"和欢乐，而且未曾料到这幻觉和欢乐竟会如此强烈。我对草、对手心的刺、对阳光下红扑扑的耳朵、对瓶子上的小羽毛，都感到莫大的爱意。这一切都让我高兴，不只如此，那充满了天空的葡萄藤和驴子也让我高兴。

此刻我在画一个非常美丽的、微笑的女人，浑身上下长满了各种颜色的羽毛，她被一小粒燃烧着的大理石骰子托起来。而大理石骰子又被托在一股安静、不起眼的小烟柱顶上。天空中飘着的是长着鹦鹉头的驴子，以及沙滩上的草和沙子，它们都马上就要爆炸，都干干净净，都客观得难以置信。整个场景浸没在无以形容的蓝色、绿色、鹦鹉的红色和黄色、可食用的白色、流浪胸部（你知道的，也有"流浪的胸部"，与飞翔的胸部正好相反，因为流浪的乳房平和安静，不知道该做什么，它们是如此毫无防备，让我感动）的金属白色里。

流浪胸部。（多美啊！）

在这之后，我在考虑画一只夜莺。画作的标题将是《夜莺》，它会是一头长着羽毛的植物驴子，立在布满荨麻刺的木质天幕之中。

亲爱的先生！是的，先生，你一定很富有。如果我在你身边，我会来哄你求你……

我很想送你一件我的龙虾色睡衣，或者还要更棒，"龙虾梦色"睡衣，看看你这个富有的家伙是否会被打动，送钱给我……想想看，只要一点点钱，只要 500 比塞塔，我们就可以出版一期反艺术杂志，往从"加泰罗尼亚奥菲欧乐团"到胡安·拉蒙的所有人和所有东西身上拉屎。

替我吻玛格丽塔的鼻尖——整个事情就像一窝被麻醉的黄蜂。

> 别了，先生
> 你腐烂的驴子在棕榈树上吻你

—— 信件 04

我决不会忍受这个
奥斯卡·豪致珍妮·斯诺德格拉斯·金
1958 年 4 月

奥斯卡·豪于 1915 年生于南达科他州的"乌鸦溪"苏族印第安人保留地,为扬克顿苏族首领一脉的直系后代。他童年时进入比埃尔印第安人学校,后又在圣塔菲印第安人学校跟随多萝西·杜恩学习美术,最终于俄克拉荷马大学取得美术硕士学位,在此期间,他对美洲本土原住民生活的现代主义描绘逐渐为他建立了稳固的声誉。1958 年,他将自己的一幅抽象画作《乌米纳-瓦奇佩:战争与和平之舞》提交给俄克拉荷马州图尔萨的费尔布鲁克艺术中心举办的一场印第安艺术年展,然而主办方却以这幅画"不是一幅传统的印第安画作"为由拒绝展出它。豪以下面这封信作为回应,它不仅让艺术中心,而且也让更广阔的艺术界改变了观念,接纳了他和他的抽象画。这封信是写给珍妮·斯诺德格拉斯·金的,她是该博物馆的美洲原住民艺术方向策展人。

—— **信件正文**

亲爱的斯诺德格拉斯女士：

那个说我的作品"不具备传统的印第安艺术风格"的人，无论他是谁，他都不了解印第安艺术。印第安艺术可绝不只是些漂亮的、风格化的画。在那些旧日的印第安绘画中，也有力量，有强健的筋骨，有个体性（情感上和智性上的独特洞见）。我画作中的任何部分，呈现的都是关于印第安绘画的一个真正的、被仔细研究过的事实。难道我们只能被永远困在印第安绘画的某一个阶段里，而无权拥有自己的个性吗？这个阶段也是被外界强加于印第安人的，就像一直以来我们得到的其他待遇一样，被圈在保留地里，被当作孩童对待，似乎只有白人才知道什么是对印第安人最好的似的。现在，甚至连艺术界也跟我们玩这一套，"你这个小毛孩子，去做我们觉得对你最好的事情吧，不要别出心裁"。而我决不会忍受这个。印第安艺术可以与世界上任何一种艺术相媲美，但前提是它不被压制。我的同胞遭遇的错误管制和不公正，我已见得太多了。光是看着这些可怜的人，就让我的心流泪。

我的父亲大约三年前在一个小棚屋里去世了,我的两个兄弟至今仍住在小棚屋里,从来都缺吃少穿,被当作二等公民对待。这就是我之所以要保存和延续我们祖先那些优美的文化艺术遗产的原因之一。但人很容易就能变成一个社会抗争派的画家。我只希望,艺术界不要也成为那禁锢我们的力量的帮凶。

奥斯卡·豪

—— 信件 05

如果我是个男人，
我无法想象这种事情会发生！
阿特米西娅·真蒂莱斯基致堂·安东尼奥·鲁福
1649 年 11 月 13 日

　　阿特米西娅·真蒂莱斯基出生于 1593 年，她的母亲是奥托瓦尼亚·蒙托尼，父亲是托斯卡纳地区的著名画家奥拉齐奥·真蒂莱斯基。阿特米西娅的母亲在她 12 岁时去世了，由父亲抚养她长大，并教会了她绘画——后来，她的艺术成就最终超越了父亲。17 岁时，阿特米西娅被她的导师阿格斯蒂诺·塔西强暴了。在审讯中，为了评估她的证词的真实性，法庭对她用了拇指夹酷刑，随后判定她所言可信。尽管经历了这些，她仍然成了 17 世纪欧洲最受称颂的艺术家之一。她是一位才华横溢的巴洛克画家，作品以描绘强大、英勇的女性著称。她最有名的一幅油画作品是《犹滴斩杀荷罗孚尼》，其题材取自《圣经·旧约》中的场景：亚述将军荷罗孚尼被女英雄犹滴在女仆的协助下斩首。她的另一幅名作是《雅亿与西西拉》，画中另一位妇女正将橛子钉进一个败军之将的头颅。这封信是她1649年写给她的赞助人的,信中叙述了阿特米西娅如何坚定拒绝了一个潜在男性客户的无理要求。

—— 信件正文

最显赫的阁下：

您 10 月 26 日寄出的信，我已收到。每念及我才疏学浅，技艺拙陋，却有幸得到恩主您的着意眷顾，便深感荣幸之至。信中您告知我，那位有意购买我画作的先生想要的是一幅《加拉泰亚》和一幅《帕里斯的裁决》，且那幅《加拉泰亚》需要与最显赫的阁下您已经收藏了的那一幅有所差异。其实您不必特地就此事叮嘱我，因为凭着上帝和至圣圣母的恩典，我的客户们找到的，是个有这样一种才能的女人，她能够变换自己画作的主题。从来没有任何人在我的两幅画作中找到创意上的雷同之处，哪怕是两只相同的手。

至于这位先生希望我在作品完成之前就给出其价格……我是很不情愿这么做的……我从未在作品完成前开过价。不过，既然这是最显赫的阁下您的要求，我也愿意从命。请告知这位先生，两幅画加在一起的价钱是五百个达克特；他尽可以把它们拿给全世界的人看，我保证任何人都会觉得它们的价值至少还要再多上两百个斯库多，不然的话，我就不会要他这么多钱。最显赫的阁下您要知道,这两幅画都需要用到索价高昂的裸体女模特,这很让人头痛。有时我找到了合心意的好模特儿,她们会朝我要一个难以负担的高价;另一些时候,我须得拿出约伯的耐心,才能忍得下她们无穷无尽的挑剔抱怨。

至于他的另一个要求,要我在成品完成之前先画一张素描稿寄给他看——我曾严正发誓,决不会再提供素描稿了,因为我曾经上过当。实际上,就在今天我发现……之前我曾经为圣加塔的主教画过一幅《炼狱中的灵魂》的素描稿,而他为了少花钱,委托了另外一位画家来照着我的草稿作画。如果我是个男人,我无法想象这种事情会发生……

我必须提醒您,我最显赫的阁下,我索价不是按着那不勒斯的风气来的。他们可能会标价三十,最后却以四块成交。我是个罗马人,我们罗马人有自己做事情的方式。

> 写于那不勒斯,1649 年 11 月 13 日
> 最显赫的阁下您最卑微的仆人
> 阿特米西娅·真蒂莱斯基

—— 信件 06

我们为什么不再能像浪漫派那样作画了?
卡尔·荣格致阿诺德·库布勒

1942 年 4 月 10 日

虽然瑞士心理学家卡尔·荣格为人所知主要是因为他在精神分析领域的工作成果,尤其是作为分析心理学的创始人,但他也是位敏锐而有才华的艺术家,从小就私下创作。在 1914 年到 1930 年之间,他创作了《红书》。这是一卷包含精美插画的巨大书册,在其中他记录并分析了自己的一个持续进行高强度自我反思的时期。在他生前,这卷书只有寥寥几个人看见过,但此后它被公开出版了。荣格也相信艺术创作是一种有效的心理治疗形式。1942 年,欧洲正深陷第二次世界大战的恐怖之中,瑞士作家阿诺德·库布勒问他:"我们为什么不再能像浪漫派那样作画了?"这封信就是他的回答。

—— 信件正文

1942 年 4 月 10 日

亲爱的库布勒先生：

我一直在思索您提出的那个关于浪漫派的问题，但得出的结论是：鉴于我目前工作繁忙，很难拿出足够的耐心来深入地讨论像"我们为什么不再能像浪漫派那样作画了"这样一个需要静静沉思的话题。

因为，沉思性——这正是现时的我们所缺乏的。

如果一个人坐在火山口，还能好整以暇地沉思，这就是超人的英雄气概了，而这个表达本身就是自相矛盾的。

今时今日，诉诸任何确定性都变得毫无意义。

在内心深处我们知道，一切都危如累卵。

当大地猛烈摇撼时，只会有突兀和颠倒失序的碎片，而不会有织得精巧致密的、纹样谐和的花毯。

在我们这个时代，浪漫派理想就像是一个高烧病人的诞梦的碎片。

因此，现代艺术最好还是去画破碎的陶器和瓦砾那一千种颜色的残片吧，而不要试图用一派欺骗性的平静来遮盖深不见底的动乱不安了。

怪诞的、丑陋的、扭曲的、令人作呕的事物,与我们这个时代完美相符,如果新的确定性没有在某个地方出现的话,艺术也将继续表达动乱不安和非人性。

以上就是我对这个问题所想说的全部。我的表达突兀、颠倒错乱,一如我们谈论的事物本身。

你真诚的

C.G. 荣格

在我们这个时代，浪漫派理想就像是一个高烧病人的诞梦的碎片。

——卡尔·荣格

—— 信件 07

全是为了爱和荣誉

荷利斯·法朗普顿致纽约现代艺术博物馆

1973 年 1 月 7 日

　　1972 年 12 月，时任纽约现代艺术博物馆电影方向策展人的唐纳德·里奇致信艺术家荷利斯·法朗普顿，提出想在这所最负盛名的博物馆里组织一场法朗普顿作品的回顾展。对于任何艺术家来说，无论咖位大小，这都是个诱人的机会，然而法朗普顿却对信中的一句话提出了异议——里奇措辞中的一个细节，让他的整个提议失去了吸引力："这全是为了爱和荣誉，不涉及任何金钱……"法朗普顿不愿在没有金钱报酬的情况下工作，他最终写了一封情绪激动的回信，这封回信，出于显而易见的原因，自此便成了艺术界的一个传奇。我们可以有把握地推测后来他们就费用问题达成了一致：1973 年 3 月 8 日至 12 日，法朗普顿回顾展在现代艺术博物馆顺利举办。

—— **信件正文**

信箱 99

伊顿，纽约，13334

1973 年 1 月 7 日

唐纳德·里奇先生

电影策展人

现代艺术博物馆

西 53 街 11 号

纽约，纽约 10019

亲爱的唐纳德：

我收到了您 1972 年 12 月 13 日的来信，并荣幸地在信中读到，您提议在接下来的这个三月为我办一场全面的回顾展。让我事先声明，我"原则上"接受这个提议，以及，我对有幸被纳入您信中提到的这个团队怀有深深的感激。我还注意到，您特地将回顾展的计划举办时间定在我的 37 岁生日前后，这份心意让人感动。另外，您提出要亲自为我撰写展品说明，也让我受宠若惊。

但是，在说过这些之后，下面我必须向您指出一些为难之处。

首先，让我直截了当地这么跟您讲吧，任何机构、任何个人都可以自由地在任何时间举办一场我作品的全面回顾展，做这事并不需要经过我同意，甚至不需要事先告知我。您肯定和我一样清楚，我所有的作品都是通过电影制作人合作社发行的，任何人或机构都可以付笔钱租借它们，只要他们真心实意地情愿在拷贝出借期间承担一般性的保管责任就行。

所以，您给我写信肯定不仅仅是因为您希望展出我的作品，肯定还有什么别的目的。而这目的，您在来信第二段的开头一句就点明了——您说："这全是为了爱和荣誉，不涉及任何金钱……"

好吧。让我们先从"爱"说起，毕竟我们所有人能在这里，都是因为爱。就算以最严格的计法，我也至少把我所能合理期待拥有的唯一生命中的十个年头，奉献给了电影制作事业。我把我清醒的时间里最旺盛的精力都献给了这项工作。而为了能继续工作下去，我接受了……那大多数艺术家也同样欣然接受的，极差的生活条件，而这种生活条件是大多数从事其他行业的美国人恐怕都自然会嗤之以鼻的。也就是说，我把我的全部世俗物质资源，无论多少，都投入了我的艺术。

当然，这些资源不是无限的。但不可简化的核心事实是：是我制作了我的作品，完全出于我自己的意志，在此过程中，我不对任何人负有义务，无须讨好任何人，只坚持我自己对这门艺术中经典作品的最好理解，以此为指引来工作。难道这还不能证明爱吗？如果不能，那么我还得做多少才行？而（在世的人中）又有谁有资格这么要求我？

然后我们来说说荣誉。我前面说过，我完全意识到了您的提议对我是一种荣耀，并因此深怀感激。但是，我的艺术的荣耀呢？我冒昧地讲一个观点，我认为总有一天，整个艺术史都将成为电影史的一个注脚，或者从电影演化出来的无论什么的历史的一个注脚。仅仅用了不到一个世纪的时间，电影就已经制造出这么多伟大的丰碑，其中满溢激情与才智。如果我们说我们要授予这样一个初生的传统以荣耀，就是在确认我们希望它继续下去。

但它不能只靠着爱和荣誉继续。这就让我们来到了您的后半句话："不涉及任何金钱……"

我要向您提出的，是一个公平性的问题。我们不妨说，我制作了这许多的电影。这意味着，有这许多数以千英尺计的原始胶片材料被消耗掉了，而购买这些材料的钱，是我付给生产商的。把这些胶片送到工作室里冲洗的钱，是我付的。在送去冲洗之前，它们先要在录影机里曝光，而录影机是我出钱买的，打磨镜片也是要付钱的。然后我需要通过在一个拼接器上回放影片来做剪辑，机器的钱是我出的，剪辑时需要加上去的空白胶片和用来黏合的胶水也是我出钱买的。冲洗胶片工作室和音轨工作室所需的材料和劳务的钱也是我出的。您自己是拿着一份薪水，无论它可能多么微薄，来给我写这封信，劝说我"为了爱和荣誉"将自己的作品在一群付了钱的观众面前展出的。如果这个展览能举办的话，影片的放映员将会拿到钱。展厅门口的保安将会拿到钱。您给我写信用的信纸，以及寄信的邮票，都是某人为之付过钱的。

这就意味着，我，以我独自一人之力，仅仅是制作出这些作品，就已经为几十个甚至数百个人带来收入了。把这个数字乘以您所能想到的其他艺术家的数量。问问您自己，比方说，跟我合作的工作室，会不会为了"爱和荣誉"冲洗我的作品。如果我要求他们这样做，而他们也把我这个要求当了真，他们必定会和和气气地向我解释说,人类期待从他们的工作中得到报酬,原因很简单:只有这样,他们才有可能继续工作下去。

但是,事情看上去似乎是这样:其他所有人都会为他们在展览中将要扮演的角色得到报酬,而这场展览之所以能存在完全是因为我。然而,我这个艺术家却一分钱都拿不到。

实际上,似乎找不到一种办法,来为艺术家作为艺术家的那部分工作付费。我教过书、做过讲座、写过文章、干过技术员的活儿……人们会为我所从事的这些附带性质的工作付钱给我。但我鲜少作为艺术家而得到过报酬。

在这件事上,我还有更多的信息要告诉您。

第一件:我们这些电影制作人互相之间偶尔也有联系,或者说,我们有某种行业内的"小道消息"来源。二十或三十年前,这些消息渠道还不存在的时候,你们现代艺术博物馆(当然,那时的员工也是和现在完全不同的一批人)曾经在玛雅·戴伦那一代电影制作人内部制造对立,借此不花一分钱就获得了许多好处,不仅是放映机会,还包括某种形式的"版权"。

而玛雅·戴伦，就是那些因贫困而英年早逝的艺术家中的一位。倘若她的经济状况能更宽裕一点，她的生命是否有可能延长一些，这个问题我就留待您个人来猜测。但毫无疑问的是，那一定会对她的工作有帮助：我至今还会满怀悲伤地想起，我初到纽约时看见她在墙上到处张贴的那些小幅海报，乞求人们捐钱，好让她完成《夜之眼》。只要有可能，我便不会再让这种事发生在我自己或我认识的任何艺术家身上了。

我还知道，斯坦·布拉哈格（有他与威利亚德·凡·戴克之间，已经公开发表的来往书信为证）和雪莉·克拉克的作品在贵博物馆放映的时候，你们是付了报酬的。我不知道你们有没有付钱给布鲁斯·贝利，但至少，我有些怀疑他并没富裕到愿意纯粹自费从西海岸飞到纽约的程度，无论为了多少爱和荣誉（而别无其他）。而且，没错，如果他们中的任何一位得到了任何数额的酬劳（我再重复一遍，是金钱让我们得以继续工作），他们得到的数额都无限地多于您愿意付给我的价格，连一点点可争论的余地都没有。这种缩减酬劳的幅度简直难以想象。

第二件：我不住在纽约城里。严格来说，在您指定的那个时间段出现在纽约,对我也并不"方便"。接下来的这个春季学期,我每周四和周五会在布法罗教课,所以您可以期待我到博物馆出席一场星期六的活动。您是建议我开车南下吗?从布法罗到纽约市的路程超过六百公里,而三月份纽约州北部的天气也不怎么稳定。难道我要自费乘飞机过去,就为了去见一见纽约的观众吗?就我的个人经验而言,这些观众在最好的情况下,也大多是走马观花、漫不经心的,而在最坏的情况下甚至可能表现得狭隘而粗鲁。

第三件:据我所知,受邀出席贵博物馆"电影探奇"活动的那些制作人,目前是会收到一笔车马费的。那为什么我不能得到同样的礼遇呢?

好吧,已经啰里啰唆说了这么多,下面我要尽量做到简洁。我向您提出以下几点以供讨论。

1. 我很久以前就知道,现代艺术博物馆的一贯政策是,你们从不为放映电影支付租金。我充分地意识到了:如果博物馆需要向我们这些独立电影艺术家付费的话,那么你们就也有义务向那些好莱坞的大工作室付费了。而鉴于我们全都生活在一个自由市场经济里，博物馆这样做，可以让艺术家们免于犯下"与美高梅一类的机构进入不公平经济竞争"的伦理错误。（我想邀请读到这里的所有人，从人性的角度，检视此种观念背后的逻辑）然而，我想为您提供一个，以我影片商品目录上标价的一半金额，付给我报酬的机会，用于你们安排的放映会。您可以随便怎么称呼这笔钱：机构拨款、慈善资助、贿赂，或是基于我对西方文明所做的贡献而发放的一笔分红……无论它被称作什么，我都会谦卑地接受。这笔钱的具体金额是266.88美元，再加上54美元的清洁服务费，这笔钱是在影片被归还到电影制作人合作社之后，需要由我付给他们的。

2. 要是想我在您提议的那个时间段出席展映，我从布法罗到曼哈顿的往返机票和陆地交通费用必须得到报销。路途中可能产生的其他费用由我自己承担。我想这笔钱大概是90美元，具体数额需要进一步确认。

3. 要想我出面谈论自己的作品，我必须得到一笔出场费，数额参考你们付给任何一位出席"电影探奇"活动的导演的钱数。我想这大概是150美元,如果我的信息有误,请回信更正。

4. 最后,我必须请求您尽可能早地回复我。现在我手上只有不多的几个拷贝,其中有的在您提出的那个时间段还可能已经被预订出借给其他放映活动了。既然我在原则上同意举办这场回顾展,推迟敲定此事便可能意味着我得专门为这次活动购置新的拷贝;而我已经下定决心尽可能地避免任何额外开支,因为我需要钱来制作新的作品。

请一定注意,唐纳德,我前面提出的这个列表是我对您的请求。我没有将其称为"要求",因为只有那些被迫进入谈判的人才需要提"要求"。

但您也必须理解这一点:以上请求是不能被讨价还价的——讨价还价是一种羞辱。在这件事上和人讨价还价,就相当于代表其他那些面临的困窘和风险更甚于我的艺术家接受了羞辱。

当然,您完全可以选择不跟我谈判。您是自由的。并且,因为我也是自由的,这个问题所涉及的程序方面的安排都是可以自由讨论的,虽然实质方面的不行。

  我希望我们最终能达成某种协议,而且要尽快。我如此希望,是出于对我处境艰难的艺术的爱,也是因为我想荣耀这门艺术的从业者们。但如果我们无法达成一致,那么,尽管我非常希望拥有这场展映,我也只能遗憾地说,现代艺术博物馆不能举办我作品的回顾展了。

祝福您
(签名)
荷利斯·法朗普顿

—— 信件 08
艺术是一种强大的智力刺激
玛丽·卡塞特致西奥达蒂·蒲伯
1903 年 9 月

　　印象派画家玛丽·卡塞特 1844 年出生在宾夕法尼亚州的阿勒格尼市,是罗伯特·卡塞特和凯瑟琳·卡塞特所生的七个孩子之一。除了在宾夕法尼亚美术学院读书的那几年,她生活中的大部分时间都是在欧洲度过的。她最后选择定居法国,与埃德加·德加和卡米耶·皮萨罗成了朋友,并在巴黎展出她的作品。多年来她一直与许多人保持着书信来往。下面这封信是卡塞特 1903 年写给她的朋友西奥达蒂·蒲伯的——蒲伯是最早的女性职业建筑师之一,其父母收藏艺术品。

—— **信件正文**

> 梅尼勒的博弗莱尼城堡

亲爱的蒲伯小姐:

我本该早些给你回信的,但这段时间我太忙了,而且我也没着急,因为知道你很快就要再次回到世界的这一边来了——西利亚德小姐给我写了一封多么让人愉快的信啊,我还指望着能亲自到巴黎和她见面呢。听说我这次见不到她了,她新学校的事情太多,近期都没空再来欧洲的时候,我非常难过——

你千万不要在艺术的事情上泼她冷水,我确信她自己就会从她周围环境带来的印象中得到极大的乐趣。我相当确信,她将要开始以另一种方式来感受图画了,你得记住艺术是一种强大的智力刺激,而不要把一切都降低到装饰性的层面上去——就像你之前说过的那些,关于图画只是一些单个的物品而已,它们被赋予了太多的意义,因此对画作的私人占有是邪恶的,云云。我向你保证,这种看待问题的方式是非常错误的,你肯定不会想让博物馆里挤满了出自各式各样人笔下的,未曾被消化理解的作品吧? 只有在一个艺术家死后许多年,卢浮宫才会收藏他的画。我衷心希望在我们的国家也能有这样的规则,而不是所有东西都可以一股脑地塞到公共博物馆里,在这种芜杂的烂摊子里是没法建立起标准的。我想,如果一个画家知道自己的创作触动了另一个人的心灵,以至于到了对方想要占有这个作品的程度,他想必会非常激动。而某个勤力工作的律师或商人,拿出其劳动所得的一部分来购买自己喜爱的艺术品,也是无可指责的。要是我们都只能为国家工作的话,我就不想继续活在这个星球上了——跟你讲,我在波士顿的时候,他们带我去了图书馆,并骄傲地指给我看所有那些如饥似渴地读书的孩子,他们无人指导,只是自顾自吸纳他人千奇百怪的各种观点。当时我就在想,如果这里能有一个好博物馆,他们的心智又将得到怎样的激发呢。它会教育所有这些将来不得不自食其力的小男孩,让他们能够欣赏优秀的作品,并在他们的心中埋下想要在某一件事上臻至完美的渴望——我过去常争辩说,这世界上的智慧绝不是都藏在书页之间。我从来没见过任何人去参观波士顿博物馆,看看馆藏画作现在那个样子,简直是博物馆领导层的耻辱——至于你强烈反感的哈弗梅尔私人藏品,我觉得他们愿意花这么多的时间和金钱来把这些艺术品收集到一起,是为我们国家做了一项宝贵的工作。所有伟大的公开展览都是由私人藏品构成的——你说"没有任何一个收藏,可以作为整体而有趣"——这么说的时候,你还是在把绘画当成装饰。而我认识的两个法国人正打算专程去一趟纽约,就为了看哈弗梅尔藏品的展览,因为只有在那里他们才能看见他们心目中最杰出的,并且与那些最好的古代大师相联系的现代画作,这些画作的价值已经被时间证明。只有在那里他们才能研究现代画派是由哪些影响的脉络塑造成型的,或者至少只有在那里他们才能看见其成果——你看,有人是这么看待私人收藏的。

先说到这里吧,关于艺术,我们可以见面后再聊。我好希望你可以来我这里。我盼着能和你见面,找一个周日的晚上过来——在这里过周二吧,或者如果你觉得天气不好不想出门,那我就进城去找你。无论如何我们非得见一面不可。今天有对来城堡参观的年轻夫妇被这儿迷住了。请代我向所有人致以最亲切的问候,并最诚挚地祝愿你们一切都好。

玛丽·卡塞特

—— 信件 09

风景画家的一天令人愉悦

让-巴蒂斯特·卡米耶·柯罗致不知名收信人

1857 年

    让-巴蒂斯特·卡米耶·柯罗,大多数人只简单地称他为卡米耶·柯罗,1796 年出生在一个富有的巴黎家庭。他早年没有对艺术表现出任何兴趣,直到 20 多岁时才投身于油画创作事业。1825 年,在法国跟随风景画家学习了一些时间之后,他又去了意大利追随那里的名家学习。接下来的数年间他游历了欧洲各地,在此期间逐渐建立起了作为伟大风景画家的名声。1857 年,柯罗和一群艺术家共同住在瑞士的格鲁耶尔城堡时,满怀欣悦地写下了这封信,描述自己如何度过具有典型性的一天。城堡位于一座小山的山顶,当时为他的朋友丹尼尔·博维的家庭所有。

—— 信件正文

格鲁耶尔，1857 年

你知道，风景画家的一天令人愉悦。你在凌晨3点，天还没亮就早早起来；你去坐在一棵树下；你观察着，等待着。起初，可看的东西不多。自然像一张白蒙蒙的画布，上面只有粗笔隐约勾勒出的几个轮廓；到处笼罩着雾气，一切都在黎明清冷的微风中颤动着。天空亮了起来。太阳还没有穿透那层遮蔽了草地、小山谷以及地平线上的群山的轻纱。夜晚的水汽仍然爬在凝翠的草叶上，像是银色的霜花。啊！第一缕阳光！小花们仿佛快乐地醒过来了。每朵花瓣上都有一颗硕大的露珠。花叶在晨风中打了个冷战。看不见的鸟儿在叶底歌唱，好似花朵在祷告一般。娇小的、长着蝴蝶般翅膀的丘比特在草地上方飞舞嬉闹，弄皱了那些高草的叶尖。前一秒你还什么都看不见，下一秒，一切都出现在面前！整片风景上笼着的那层透明的雾气此时消散，现出了银带般的河流、原野、树木、村舍，还有更远处的景色。那之前只能猜想的，现在一下都看得清清楚楚了。

太阳升起来了！田野的另一边有个农民，身边是牛拉着的车子。你能听见羊群的头羊脖子上系着的小小铃铛发出的声音。一切都焕发出生机，在明亮的晨光中闪耀着——此时的晨光还是轻柔的、金色的。在微微泛蓝的雾蒙蒙的氛围中，那线条简洁、色彩谐和的背景融化进了无垠的天空。花朵扬起了头，鸟儿们振翅乱飞。一个乡下人骑着白马，沿着陡峭的两山中间夹着的那条小径走远了。河沿上矮小、蓬松的柳树看着像是些尾巴展开的鸟儿。多么可爱！我画啊！画啊！

—— 信件 10
艺术家必须掌握自然
亨利·马蒂斯致亨利·克利弗德
1948 年 2 月 14 日

亨利·克利弗德在费城艺术博物馆担任馆长达二十余年。在此期间，他因策划了居斯塔夫·库尔贝、文森特·凡·高和巴勃罗·毕加索等人的展览而被称颂。1948 年春天，博物馆又得到了举办 20 世纪法国最具影响力的艺术家之一亨利·马蒂斯回顾展的机会，这很大程度上也是克利弗德的功劳。展览开幕前，马蒂斯担心自己的作品会给年轻艺术家带来误解，于是从法国给克利弗德寄了下面这封信，解释自己的担忧。后来他提出想把这封信加到展览目录上，克利弗德照做了。

—— 信件正文

威尼斯 1948 年 2 月 14 日

亲爱的克利弗德先生：

我希望我的展览能够值得您为它付出的这么多辛苦，我对此感激不尽。

然而，考虑到这场展览可能引起的巨大反响，同时看到各位做了这么充分的准备工作，我担心它的呈现范围会不会对年轻画家产生一种多少有些不利的影响。在仅仅是走马观花地，甚或是浮光掠影地匆匆浏览过我的油画和素描作品之后，他们会如何诠释这样一种概览给他们留下的，我的作品看似"很容易，画得毫不费力"的印象呢？

我总是试图隐藏我所付出的努力，并希望我的作品洋溢着春日的轻盈和欢乐，而不让任何人察觉我曾在它们身上下了多少苦功。所以，我担心年轻人会在我的作品中只看见绘画表面的轻松和浑不在意，并以此为借口疏于某些基础的练习，而那在我看来是很必要的。

近年来，我有机会参观的不多几场展览，都让我担忧现在的年轻画家在逃避缓慢而艰苦的准备性训练,但这是任何一个宣称自己只使用色彩来架构画作的画家所必经的道路。

这种缓慢而艰苦的劳作是必不可少的。如果花园没有在恰当的时节翻土,它很快就会变得毫无用处。难道我们不是在一年的每个季节都必须先清理,然后才能细细培养土壤的吗?

如果哪个艺术家不懂得这个道理,即他要在自己的花期到来之前为之做充足的准备,而这些准备过程中的工作本质上是迥异于最后的成品的,那么他必然走不了多远。或者,如果一个已经"成功"了的艺术家觉得自己没必要再时常回到最初的土壤上去,他就会开始来来回回地重复自己,直到在这种重复中,他的好奇心熄了火。

一个艺术家必须掌握自然。他必须让自己与自然的节律合而为一。只有努力做到这一点的人,才能为此后的技艺做好准备,即令他能够运用属于自己的语言来表达自己的技艺。

成长中的画家必须要能感知那些对他的发展至关重要的东西——素描,甚至是雕塑——一切东西,只要它能让他通过进入能够激发他情感的事物——即我所谓的"自然"——与自然成为一体。我相信,通过素描来学习是最关键的。如果说素描属于性灵,而色彩属于感官,那么你必须从素描开始,去培养性灵,这样才能引领你的色彩走上性灵的道路。这些就是当我看见那些年轻人的作品时所想要大声疾呼的。对于他们,绘画不再是一场冒险了。他们的唯一目标就是早日举办自己的首场个人展,亦即他们通向成名之路的第一步。

只有在做过数年的准备之后,一个年轻的艺术家才应该开始触碰色彩——我说的不是描述性的,而是作为私人化表达的色彩。到了那时,他才可以期待他所使用的一切形象,甚至是一切象征符号,都可以成为他对事物之爱的反映,并且如果他纯粹而不自欺地坚持完成了他的教育,他就可以对这种反映有信心。接下来,他就能明智地使用颜色了。他可以让颜色遵循一种自然的安排,这种安排在此之前是未曾被表达过,且完全不为人所见的,是直接从他的感情中泉涌而出的。正是这种安排,让图卢兹-劳特累克在他生命行将结束的时候感叹道:"终于,我不再知道该如何去画线条了。"

刚刚起步的画家觉得自己作画是源自内心的。完成了全部训练的画家也觉得自己作画是源自内心的。只有后者这么想是对的，因为他的训练和纪律令他能够接受那些他自己，至少部分地，可以掩盖的冲动。

我并不想自诩青年人的导师。我只希望我的展览不要给那些正在选择道路的人造成错误的印象。我希望他们知道，他们不能像随手推开谷仓门那样，随意接近颜色；要想配得上使用颜色，一个人必须先经过艰苦的准备训练。但首先，很清楚的一点是，要想运用好色彩，你必须对颜色有某种天赋，就像歌手必须有歌唱的天赋一样。没有这种天赋，你是不可能成功的，并不是每个人都能像柯勒乔那样宣称"我也是个画家"。一个人是否擅于用色，即使是从一幅简简单单的炭笔素描中也看得出。

亲爱的克利弗德先生，这封信我就写到这里。开始动笔的时候，我本来只是想告诉您，我深知您近来为我的展览费了多少心思。然而，出于某种内心的迫切需要，我却把这封信写成了一篇表达我关于素描训练、色彩以及纪律对于年轻艺术家的成长之重要性的看法的文章。如果您觉得我的所有这些思考还可能对任何人有些许用处的话,请您不妨随您的心意去处置这封信吧……

请相信我,亲爱的克利弗德先生。

您心怀感激的

亨利·马蒂斯

—— 信件 11

让我和艺术家交朋友吧
J.D. 弗格森致玛格丽特·莫里斯
1915 年 10 月 19 日

"苏格兰色彩派"是个艺术团体,由四位苏格兰画家——莱斯利·亨特、塞缪尔·佩普洛、弗兰西斯·卡德尔和 J.D. 弗格森组成。他们在法国受训过一段时间之后,将法国野兽派运动的鲜明色彩带回了自己祖国的艺术界。J.D. 弗格森 1913 年在法国遇见了他后来的妻子,舞者玛格丽特·莫里斯。翌年两人在切尔西建立了"玛格丽特·莫里斯俱乐部",供志同道合的画家、乐手和作家聚会。弗格森写给莫里斯的信与他的画作一样活泼生动。1915 年 10 月,他在信中向她讲了一个屠夫的事,那个屠夫对羊肚布丁(Haggis)的热情富有感染力。

—— **信件正文**

爱丁堡，1915 年 10 月 19 日

亲爱的小姑娘……我的上帝，让我和艺术家交朋友吧——我的意思是，和那些能感受事物的人，哪怕他们是杂货商、拉煤工，是什么都可以，只除了那些对时间、色彩和声音都毫无感觉的人。

我星期天晚上去拜访的那个人，当时正在谈论绘画，并且他对其有一种真正的感情。我提到了彭斯（这是自然的），然后他告诉我说，有天他在高尔夫俱乐部吃饭，遇见一个热爱彭斯的屠夫现场朗诵了《致羊肚布丁》。他朗诵得如此投入，情感如此丰沛，以至于最后整个人几乎要虚脱了。

作为一个有洁癖的素食主义者，你当然会感觉这极其荒谬和恶心。而我觉得它绝妙而激动人心。这个男人制作羊肚布丁，贩卖羊肚布丁，并且会怀着真正的感情朗诵这首为羊肚布丁而作的诗歌，能感受到彭斯在创作这首诗时所感受的东西。听上去，他似乎确实接近了艺术的真意。很遗憾你不能目睹这一幕。想想吧，这个令人厌恶的家伙，这个肉贩子！还要更

糟,他不仅是个肉贩子,还是个下水贩子,卖的尽是些肠子肚子。一个制作羊肚布丁的人,把羊的心、肝、肺剁碎了,和一大坨燕麦片、牙买加胡椒、黑胡椒和盐混合,全部搅成馅,煮得稠稠的,然后连汤带水塞进动物肠子里——实际上是塞进羊最大的胃袋里,再拿针线把胃袋口缝起来,扔进锅里煮上几小时,其间时不时地用针在上面戳洞,好把里面的气放出来,免得胃袋炸裂。

想象一下,这个人站在一大锅咕嘟咕嘟炖煮着的羊肚布丁前面,看着它们,用针戳它们,有节奏地搅动它们,同时他的脑海中流动着彭斯的诗句。在那些心潮澎湃的时刻,他眼中看着这些羊肚布丁浑圆的形态,心里知道它们圆滚滚的肚子里装满了食物——真正的食物,既滋补身体,又滋养情感——感觉到那种思想的延续性,它来自构想、创造并完成了一份工作的全过程。在这些时刻,这个可厌的人就会进入所谓的"第四维度",用源自这种全身心的体验的完满、充沛的情感背诵出诗歌来,手中的针随着节奏的抑扬起伏,每戳一下都是在打拍子。

我亲爱的玛格丽特,这首关于一个吃饱了羊肚布丁的农人的、粗俗的诗,足以让任何一个读柏拉图长大的体面人作呕。实际上,很可能没人能忍受它,除了乔叟、一个屠夫,或者我自己。这事可别告诉你那些朋友!马上销毁这封信!

你的 J.D.F.

—— 信件 12

格外仇视的对象

哈丽雅特·霍斯默致《艺术辑刊》

1864 年 11 月

　　哈丽雅特·霍斯默 1830 年出生在马萨诸塞州的沃特敦,是 19 世纪的著名雕塑家。早在 19 岁时,她就决定了把成为雕塑大师当作自己的终身志业。1862 年,在辛苦工作了三年之后,她终于准备好展出《被束缚的齐诺比亚》了,这是一座 2 米高的大理石雕像,塑造的是公元 3 世纪的叙利亚传奇女王,有人称其为她最重要的作品。她将雕塑送到伦敦,打算在国际展览会上展出。在长达一个月的会展期间,成千上万的游客观赏了霍斯默的作品。这座充满野心的雕塑得到了评论界的一致赞扬,尽管有些人怀疑它不可能出自女人之手。次年,《艺术辑刊》发表的一篇文章宣称《被束缚的齐诺比亚》"实际上是由罗马的一个意大利工匠雕塑的"。其他出版物上也出现了类似的流言。这让霍斯默怒不可遏,她给《艺术辑刊》的编辑写了下面这封信以回应最初的指控,在信中威胁要起诉他们诽谤。很快,起初刊载这些流言的所有刊物都撤回了这个说法,并刊载了正式道歉通告。

—— **信件正文**

先生：

《艺术辑刊》的九月号收录了一篇题为《阿尔弗雷德·盖特利先生》的文章，其中包含的一项不实陈述严重地伤害了我作为艺术家的名誉，我无法对此坐视不管。

很长时间以来，我一直知道坊间流传着这样的说法：我雇用了一位专业雕塑师傅来替我制作所有雕像。当这种流言只是在私下口耳相传的时候，我一贯以其应得的鄙夷和沉默无视之；但现在它既然已经形成了严肃的指控，刊登在了公开发行的刊物上，我再继续默不作声就无异于承认其为事实了。因此我要向您澄清相关事实，并请求您在专栏上加以更正。

有件事是所有艺术家都清楚，但公众可能对其一无所知的：制作一座雕塑时，艺术家本人会先准备一个小模型，然后送到专业的雕塑工人那里，由他们将其按比例放大到艺术家指定的规模。卡诺瓦和索尔瓦森用的就是这种方法，后来的吉布森先生、特内拉尼等人也一样，今时今日的大多数雕塑家都是这么工作的。现在,针对我的指控是说,我的整个作品都是这位雕塑师傅做的。为反驳这条指控,我在此宣布,就在一位雕塑工人按着我此前经仔细研究制作的 1.2 米小模型,为我完成了齐诺比亚雕像的黏土版本之后,我本人又亲自动手,在这个实际大小的黏土模型上精心打磨了八个月之久。因此,如果这雕像有任何值得称道之处的话,至少该有我本人的一部分功劳吧?另外,那个为我制作雕像的工匠并不是什么专业雕塑师傅,只是吉布森先生工作室里的一个大理石工人。

我在吉布森先生的工作室里干了七年,以下的这条声明也是经过他授权的:在这期间,我的工作所得到的协助,并不超出任何艺术家所认为应得协助的正当范围。用他本人的话说,他决不会允许我从他的工作室里送出我不能诚实地宣称出自我本人之手的作品。

我们都很清楚,任何艺术家,只要获得了某种程度的成功,都会招致同行的忌恨;但是一位女性艺术家,一位经常接到委托的女性艺术家,会成为他们格外仇视的对象。我的艺术家同行里没什么人喜欢我,但我还是感到自己可能有必要公开其中一位的名字,是他最早制造了关于我的谎言。那个人冒称自己是我的私交,从不会放过任何一个机会抹黑我作为艺术家的名声。

       我永远是

       您忠诚的,

     哈丽雅特·G.霍斯默

    联署者:约翰·吉布森

   罗马,1863年11月14日

      * * *

（我们一收到霍斯默小姐的信,就立刻把它刊载在专栏里了。她所投诉的那段话出自一个当代作者的文章,是一篇"摘录"的部分内容,我们因为疏忽,没有注意到该言论的有害影响。我们相信这一陈述是毫无根据并且很显然是不公正的。造成伤害有悖于本刊的宗旨,特别是当受到伤害的是一位正在努力工作以建立自己声名的女性艺术家的时候,就更是如此。我们深知,无论是在罗马、在英格兰还是在美国,艺术界对霍斯默小姐的工作评价都很高;并且以她的卓越才能和勤奋工作,她获得今天的地位是实至名归的。我们十分乐意尽自己所能弥补我们对她造成的一切伤害。——《艺术辑刊》编辑部）

—— 信件 13

"涂鸭"丑得像屎一样
迈克尔·格拉迪致艾丽西亚·麦卡锡
1992 年 4 月 8 日

"使命派"（Mission School）是后世对旧金山艺术学院的一群奉行后朋克风格的年轻艺术生的总称。这些年轻人受到了街头文化和民间艺术的强烈影响，在其活跃期（整个 20 世纪 90 年代）扮演着旧金山艺术界举足轻重的角色，并受到后来者的喜爱和追慕。实际上，其中的大部分"成员"后来也成了颇受欢迎的艺术家，可见该运动的影响之深广。但这些艺术家和他们的作品并不是一开始就受到社区居民的拥戴的，这一点从下面这封愤怒的信就可见一斑。信是旧金山艺术学院的主任在 1992 年写给艺术家艾丽西亚·麦卡锡的。这位在整封信中都把"涂鸦"（graffiti）写成了"涂鸭"（grafitti）的主任，显然已经被气疯了——他肯定想不到，有一天学院将多么为这些涂鸦艺术感到骄傲。顺便说一句，艾丽西亚·麦卡锡的作品自那以后就在全美国范围内展出，并且广受赞誉。

—— **信件正文**

旧金山艺术学院
1992 年 4 月 8 日

艾丽西亚·麦卡锡
通过旧金山艺术学院学生邮箱发送

亲爱的艾丽西亚:

这学期,旧金山艺术学院校园里出现了大片大片的涂鸦。我对相关人员进行了私下询问,于是找到了你这里。虽然我没拿到确凿的证据,但你的名字在调查中不停地冒出来。你肯定以某种方式与这些涂鸦脱不了干系,这点已经很清楚了。

涂鸦让旧金山艺术学院的所有人都很头疼。他们告诉我,清除掉最近这一大波涂鸦需要花费 2000 美元。这是本来可以用来购置设备、发放奖学金等等的 2000 美元,还是在这样一个学费上涨的速度之快让所有人都感到压力的时候,我们决不能容忍这种糟蹋钱的行为!

为什么不能放着它们不管呢? 简短的答案是: 因

为它们丑得像屎一样。如果这些不肯署上真名的涂鸦艺术家骗自己说这是艺术的话,他们就是大错特错了。青春期?自我沉溺?不考虑他人的感受?是的。艺术?……绝不,至少不是什么有意思的艺术——想要显得"有颠覆性"的平庸之举,仅此而已。

这些涂鸦之所以格外有危害性,还有另外一个重要原因。你可能知道,我们正打算买下盖普大厦,把它改造成新的工作室空间。我们要想获得改变该建筑区划的许可,需要经过附近居民(他们每天都不得不忍受这些涂鸦)的同意。近年来,涂鸦已经成了邻居们提出投诉最多的主题。而现在校方尤其得罪不起他们。

最初,我倾向于无视这些破玩意,把它们当作小孩子胡闹。但这次我没法再这么做了。比尔·巴雷特和董事会都清楚地告诉我,最近爆发的这一大波涂鸦真的让所有人都很生气。我甚至收到了其他学生的投诉。所以,如果你,或其他任何人今后涂鸦被抓到现行,巴雷特校长和董事会很可能会行使他们的独有权力,单方面将犯事者从旧金山艺术学院开除。至少,我会被要求采取适当的行动。如果你是目前正在破坏旧金山艺术学院环境的一分子,请停止这样做。如果你认识的其他人参与到了这些事情中,请向他们传达我的意思。如果你想要更进一步讨论此事,请来学生服务办公室找我。我感谢你的合作。

          你真诚的
        (落款是"迈克")
         迈克尔·格拉迪
          教导主任

—— 信件 14

波普艺术是……

理查德·汉密尔顿致彼得·史密森和艾莉森·史密森
1957 年 1 月 16 日

理查德·汉密尔顿 1922 年生于一个工人阶级家庭,他对艺术世界的热爱很早就开始了。他 10 岁时开始学习绘画;12 岁就开始上面向成年人的晚间艺术课程;16 岁时被皇家学院录取。20 世纪 50 年代,他成为独立小组(Independent Group)的骨干成员。这是由一群激进的英国艺术家组成的艺术团体,我们所知最早的一批波普艺术(Pop Art)作品就是由该小组的成员创作的。他们的大部分作品第一次出现在公众面前,都是在 1956 年那场极具开创性的"这就是明天"展览上,其中就包括汉密尔顿标志性的拼贴画作品《到底是什么让今天的家如此不同,如此迷人?》。次年一月,在汉密尔顿开始思考如何举办下一次展览时,他写了一封信给同为独立小组成员的建筑师,彼得·史密森和艾莉森·史密森,但没有得到回复。在信中,他为即将席卷整个世界的波普艺术运动撰写了某种意义上的宣言初稿。

—— 信件正文

1957 年 1 月 16 日

亲爱的彼得和艾莉森:

近来我一直想着那天晚上我们的谈话,觉得把一些想法写下来可能是个好主意。这样既能帮助我自己理清思路,也能让你们知道知道我的看法。

在战后这段时间的伦敦,有这么几种艺术风潮我觉得是最重要的,并且和我所认定的目标有关联:

生活和艺术的并行

(探究一种具有普遍价值的意象系统)

人、机器和动态

(探究一种特别的技术意象系统)

瑞纳尔·班汉关于汽车造型的研究

广告形象研究(帕乌洛奇、史密森、麦克黑尔)

独立小组针对波普艺术与美术之关系的讨论

未来的房子

(将工业设计中的波普艺术态度转换到家居内部建筑的尺度上)

这就是明天

第二小组展示波普艺术与试图去个人化地对待感官材料。第六小组展示用一种强烈个人化的语言来表达人类需求。

由这个列表可见,波普艺术/技术背景显然是其中的重要特征。

"这就是明天"展览的不利之处(同时也是它最大的优点)就是它的结构松散,语言晦涩不明。

我的看法是,我们的下一场展览应该是高度有纪律,并且在观念上实现了统一的,与这场的混乱无序恰成对照。是否有可能要求参展者们抛弃自己各自心目中的解决方案,在遵循一个事先达成共识的严格工作程式的前提下,试图共同创造出某种新的、正式的观念?

不妨假设,我们先从为家庭环境的特定需求提供独特解决方案这个目标开始。例如,需要某种庇护、某类设备、某种艺术。而解决方案可以按照下面这个波普艺术的特征列表来制订和评价。

> 波普艺术是:
> 流行的(为大众所设计)
> 短暂(短期的解决方案)
> 可消耗(容易被遗忘)
> 低成本
> 批量生产
> 年轻(目标受众是青年人)
> 机智
> 性感
> 花哨
> 光彩照人
> 大生意

这只是个开始。有可能,我们任务的第一步就是要分析波普艺术,并列出这样一个表格来。我自己不大确定波普艺术是否具有"真诚"这个属性。某些波普艺术有——至少是有一种貌似真诚的东西,但并不是所有的都有。或许我们不得不将波普艺术再细分成几个小类,然后判断我们项目的各个分支分别属于哪一类。你们觉得呢?

你们的

(理查德)

—— 信件 15
多样性保证了我们的文化存续
马丁·斯科塞斯致《纽约时报》
1993 年 11 月 19 日

很少有电影制作人比意大利艺术大师费德里科·费里尼给人留下的印象更深刻了。在大多数人看来，他长达 40 年的辉煌职业生涯在 1960 年创作的史诗般作品《甜蜜的生活》中达到了顶峰。这部电影描绘了意大利记者马鲁吉罗在战后的罗马生活的七个日子。费里尼于 1993 年 10 月去世后，成千上万的哀悼者在"电影城"工作室参加了他的追悼会。大约在同一时间，《纽约时报》发表了备受赞誉的摄影师布鲁斯·韦伯的一篇文章，他在文章中明确表示，他对费里尼、约翰·凯奇和安迪·沃霍尔等艺术家那些被认为意义晦涩、令人困惑的作品感到不耐烦，并评价后两位说："不管别人怎么说，我所听到的仍然只是噪声，看到的仍然只是一个汤罐子。"这篇文章见报后不到两周，一位读者来信回复了韦伯的这篇发表于争议时刻的争议文章，这封信很快就被发表出来。信的作者是另一位电影艺术大师，马丁·斯科塞斯。

—— **信件正文**

纽约,
1993 年 11 月 19 日

致《纽约时报》编辑:

"不好意思,我一定错过了电影的一部分。"刊载于 11 月 7 日的《每周评论》称费德里科·费里尼是这样一类导演的典型:他的艺术风格妨碍了他好好讲故事,因此他的电影不容易被观众接受。评论作者还说,这类艺术家还包括英格玛·伯格曼、詹姆斯·乔伊斯、托马斯·品钦、贝纳多·贝托鲁奇、约翰·凯奇、亚伦·雷奈和安迪·沃霍尔。

让我感到沮丧的并不是这个观点,而是它背后暗含的对那些困难或晦涩的艺术表达的潜在态度。真的有必要在费里尼刚去世仅仅几天的时候发表这篇文章吗?我觉得这是一种危险的态度,急于设置限制,不宽容。如果这就是我们对一位成名大师费里尼的态度,也是最容易被我国读者接受的态度,想象一下外国新电影和新导演在这个国家能有什么机会。

这让我想起了不久前电视上的一则啤酒广告。广告以对一部外国黑白电影的戏仿开场——那电影看上去像是费里尼和伯格曼的结合体。两个年轻男人在一家音像店里困惑地看着它,而他们的一个女性同伴似乎对电影更感兴趣。一个标题冒了出来:"为什么外国电影一定要这么'外国'?"解决办法呢,则是无视外国电影,租一盘充满爆炸场面的动作冒险片录像带,这让那个女人大为光火。

这个广告似乎将关于女性和关于外国电影的"负面"联想等同起来:她们和它们都软弱、复杂、乏味。我也喜欢动作冒险片。我也喜欢讲故事的电影,但是美国人的方式就是讲故事的唯一方式吗?

在这里,问题不是"电影理论",而是文化多样性和开放性。多样性保证了我们的文化存续。当世界分裂成一个个不宽容、无知和仇恨的群体时,电影就成了获取知识和理解的有力工具。令我们感到羞耻的是,你们刊发的文章被欧洲媒体长篇引用了。

我前文中描述的那种态度,它颂扬无知。不幸的是,这恰恰证实了欧洲电影人对我们最大的恐惧。

这种封闭的思想是我们想传给后代的吗?

如果你接受那个广告中的答案,何不沿着这个思路,继续问出下面的问题呢:

为什么他们不像我们一样拍电影?

为什么他们不像我们一样讲故事?

为什么他们不像我们一样穿衣服?

为什么他们不像我们一样吃饭?

为什么他们不像我们一样说话?

为什么他们不像我们一样思考?

为什么他们不像我们一样崇拜?

为什么他们不像我们?

最终,由谁来决定谁是"我们"?

——马丁·斯科塞斯

—— 信件 16

对美国白人的"绅士风度"提出这点要求,算过分吗?

奥古斯塔·萨维奇致纽约《世界报》

1923 年 5 月 17 日

1892 年出生在佛罗里达的奥古斯塔·萨维奇克服了重重困难,才成了一位雕塑家。还是个年轻女孩时——她在 14 个兄弟姐妹中排行第 7——她就把很多时间花在了安静地用当地的黏土制作小型塑像上,这让她有暴力倾向的父亲颇为恼火。萨维奇回忆说:"(父亲的)鞭子几乎把艺术从我身体里抽出去了。"不过,她受到了老师们的支持和鼓励,并在 1919 年移居纽约,进入库珀联盟艺术学院深造,在那里如鱼得水。1923 年,萨维奇申请了法国枫丹白露美术学校组织的一个面向女性的艺术深造项目。起初,她的申请被批准了,但没过多久,校方得知她是个黑人之后,就取消了她的奖学金,因为他们认为她的种族身份"会让一些白人学生感到不适"。W.E.B. 杜波依斯为她发起了一场请愿运动,敦促校方撤回这个决定,但没有成功。她给纽约《世界报》写了下面这封信,但也无济于事。在她此后的整个职业生涯里,萨维奇始终为非裔美国艺术家的权利而呼吁。她1952年在哈勒姆开办了萨维奇艺术与手工艺工作室。

―― **信件正文**

致《世界报》编辑：

最近，贵刊专栏里的热议话题便是佩肖托先生的委员会拒绝让我赴法国求学一事了。而这全是因为我所犯下的那个最初的错误，即选择生在了一个错误的、曾为美国服了它绝大部分的辛苦劳役的种族里。这场争议引发了一些奇怪的后果，有一部分出现在了我的信箱里。大量白人（他们大多数选择匿名）写信给我，命令我不要妄想强行挤进白种人的行列。这些不请自来的"白种人优越性"的捍卫者信中显露出的勇气和风度的成色，特别是其中显然羞于署上自己大名的那些，让人读过之后很难再对人性抱有什么信心。他们似乎觉得我必定是个黑白混血儿，恐怕还是只有一小部分黑人血统的那种，因为只有那样我才有可能把自己混进白种人的行列。但我碰巧是个不容置疑的百分之百的黑人，这就让此种揣测不攻自破了。

每当一个有色人种女孩得到机会去发展自己的自然天赋，这些人就总要假定她这么做一定是想成为白人，这难道不是件咄咄怪事吗？我着实厌倦了向他们一遍遍解释：想要提升自己的处境，发展自己的能力，是一切人类共有的愿望。

我总是听到人们抱怨说，黑人不懂好好利用社会提供给他们的教育机会。实际上，我的许多黑人同胞不想接受高等教育的原因之一，就是一旦我们中的哪个站得比别人高了些，显眼了些，就会有数以百万计的脚随时准备着把他踏回到地面上去，把他赶回到平庸而劳碌的人群中。就这样，他们在种族间创造并维持了一条泾渭分明的文化界线。我要怎么与其他美国艺术家竞争呢，如果我一开始就没有得到与他们相同的机会的话？

我绝对无意强迫任何人面对像是"社交平等"这类的问题。我对强行挤进99个白种女孩中间，让她们被迫接受我的存在毫无兴趣。如果可能的话，我完全乐意作为唯一的乘客，乘坐一艘船长和船员全是黑人的客船前往法国，只要我到了之后能获得跟其他99个女孩一样的学习机会就行。而且我确信，到了期末考试放榜之后，我是绝不可能让我的种族蒙羞的。

我们黑人，在接触西方文明区区六十年之后，因不能在社交上和智性上达到与其他人同等的高度，而被那些已在这一文明传统中生活了数千年的人讥笑；

然而如果我们打定主意要缩小这一差距，在他们眼中就是犯了大逆不道的僭越罪行。为什么连试一试的机会都不给我们呢？有些白人是有多惧怕我们可能会成功呢？再给我们五十年的时间和公平的机会，五十年后你们可能就会发现，再也没有抱怨我们不上进的理由了。我们想要的不是人们一般认为的所谓"社交平等"；我们的"社交圈子"已经足够了。但我们的确想要——并且有权利要求——得到一个机会，让我们能够证明，自己和所有其他种族的男男女女一样，都有能力、有天赋、有无限的可能性。在我们贡献了"奴隶们二百五十年的无偿劳役"之后，我对美国白人的绅士风度提出这点要求，算过分吗？

奥古斯塔·萨维奇

纽约，5月17日

—— 信件 17
艺术是一场前往未知世界的冒险
马克·罗斯科与阿道夫·戈特利布致《纽约时报》
1943 年 6 月 7 日

1903 年,马克·罗斯科生于俄罗斯(该地区今属拉脱维亚),他 10 岁时随全家移居美国,在那里开始了新的生活。在此十年后,他先是短暂地就读于耶鲁大学,在那里爱上了艺术,于是转入了享有盛名的纽约艺术学生联盟。著名立体派艺术家马克斯·韦伯是他的老师。后来他又遇到了他一生的挚友,与他同为抽象表现主义画家的阿道夫·戈特利布。直到 20 世纪 40 年代末,罗斯科才确立了他今日最为之著称的绘画风格:边缘柔和的方形大色块,排列在巨大的画布上。到他 1970 年去世时,罗斯科已经创作了八百余幅油画作品,其中他于 1951 年画成的《6 号(紫罗兰色、绿色和红色)》在 2014 年卖出了一个史无前例的高价:一亿四千万美元。其他许多作品也卖到了数百万美元的价格。然而,他在批评界就不总是这么受欢迎了。1943 年,《纽约时报》的艺术评论家爱德华·

艾伦在报道"纽约第三届现代画家与艺术家作品年展"的时候写道:

> 马库斯·罗斯科的《叙利亚公牛》到底是什么意思,只能靠我们自己想象了。同样,阿道夫·戈特利布的《劫掠珀尔塞弗涅》也让笔者完全摸不着头脑。

罗斯科和戈特利布以下面这封信作为两人的共同回应。

—— 信件正文

1943年6月7日
《纽约时报》艺术编辑
爱德华·阿尔登·朱厄尔先生
纽约州纽约市43街西229号

亲爱的朱厄尔先生：

对于艺术家来说，艺评人的头脑运作方式始终是生命中一大不解之谜。我们猜测，这就是为什么艺术家抱怨自己被误解，特别是被评论者误解的声音，都已经司空见惯了。因此，当《纽约时报》的艺评人低调地，却又公开地坦承自己"摸不着头脑"，在年展上面对我们两人的画作感到"茫然"时，这着实是件新鲜事。我们很感谢他对这两幅"晦涩"的画作做出如此诚实的，也可以说是友善的反应——在其他的评论家中间，我们貌似制造出了一片狂乱的歇斯底里。我们也感谢贵刊如此慷慨地提供给我们机会来陈述自己的看法。

我们完全不打算为我们的作品辩护。让它们为自己辩护吧，我们认为它们自身就构成了清晰的陈述。您没有直接无视或是贬损它们，就是它们具备某种表达力的初步证据。

我们拒绝为它们辩护,不是因为我们不能。向那些困惑的观者解释说,《劫掠珀尔塞弗涅》是对该神话故事之内核的诗性表达,是对"种子及其所播入的土壤"这组概念所带有的全部暴力意涵的呈现,是对原始荒蛮真理的冲击,是很容易的事。难道您觉得,这个抽象的、蕴含了这么多复杂感情的概念,可以用男孩和女孩轻快地追逐跳跃的形象来表达吗?

同样,解释《叙利亚公牛》也很容易。它是对一个古代形象的新阐释,并以前所未有的程度对其做了扭曲变形。艺术是永恒的,因此对一个象征符号,无论它多么古老,做出富含意义的呈现这种行为,在今天与在当年它诞生的时代,是同样正当而有效的。难道您觉得,已有 3000 年历史的那一个才更真实吗?

但是,这些方便易懂的展品说明能帮到的仅仅是那些头脑简单的人。我们的画作不是任何说明文字所能解释的。对它们的解释只能来自作品与观者之间水乳交融、合而为一的经验。对艺术的欣赏,是"两颗心灵的真正结合"[1]。而在艺术的结合中,正如在婚

---

1. 原文 true marriage of minds,化用《十四行诗》116 号首联,有改动。——译者注

姻的结合中一样,两方无法合体足以构成将其废除的理由。

在我们看来,事情的关键不是"解释"这些画作,而是判断画幅之内所负载的、内含于作品中的思想是否有意义。

我们感到这些作品阐述了我们的美学信念,因此,我们将其中一些列举如下:

1. 对我们而言,艺术是一场前往未知世界的冒险,不愿担风险者无以成行。

2. 想象的世界是无拘无束的,并与"常识"水火不容。

3. 我们作为艺术家的功能,便是让观者以我们的目光,而非他自己的目光来看世界。

4. 我们偏好对复杂思想的简单表达。我们喜欢用大块的图形,因为它有一种明晰、绝不含糊的冲击力。我们想要重新引起人们对油画之物理表面的重视。我们喜欢用平面的色块,因为它们能摧毁幻觉、揭示真相。

5. 有种在画家间被广为接受的观念,即只要画的技巧出色,画的内容是什么并不重要。这种观念就是学院主义的本质。不存在"一幅没有内容的好画"这种东西。我们要提出,画作的主题至关重要。而且只有那些悲剧性的、永恒的主题才是有效的。这就是为什么我们声言,自己与原始艺术和古代艺术之间在精神上相契。

因此,如果我们的作品代表了这些信念的话,它们就必然会冒犯那些精神更契合于"室内装饰"的人。他们喜欢的是:装点家庭墙面的画、挂在壁炉架上方的画、"美国即景"画、社会生活画、艺术的纯粹、获奖的通俗畅销作品、美国国立艺术学院、惠特尼学院、玉米带学院、橡树、陈词滥调,等等。

您真诚的

阿道夫·戈特利布

马库斯·罗斯科

纽约布鲁克林区州街 130 号

—— 信件 18

最壮观的单色景象之展演

伊夫·克莱因致国际核爆炸检测委员会主席

1958 年

    法国概念艺术家伊夫·克莱因在周游世界、修习柔道之余,还经常创作与他的另一个此生挚爱——蓝颜色——相关的艺术作品。或者说得更严谨一点,那是"国际克莱因蓝"。他创造了这种蓝色,并在 1960 年为之注册了专利。克莱因于 1928 年出生于法国南部。1948 年他创作了一首名叫《单调寂静交响曲》的音乐作品,整首曲子只有一个音符,之后就是长长的寂静。两年后,他从单调转向了单色,开始绘制那些日后令他声名大噪的单色画。1958 年他给国际核爆炸检测委员会的主席写了下面这封提议信。四年后,克莱因死于急性心脏病发作,时年 34 岁。

—— **信件正文**

尊敬的主席，尊贵的各位代表：

我怀着彻底的谦卑，但同时也带着一个艺术家的完全的自觉，向贵委员会的各位理事呈上以下这个关于原子爆炸和热核爆炸的提议。提议很简单：将原子弹和氢弹的内部都涂成蓝色，使得它们的爆炸不再是只能被那些极力隐藏它们的存在以从中获利的人，或是那些出于纯粹政治目的展示它们的人（这两者其实是一回事）辨认出来，而是能让所有利害攸关的，需要在第一时间得知爆炸发生了的人都看得一清二楚，而我认为，这就相当于所有生活在我们这个时代的人。我所需要的，仅仅是所有原子弹和氢弹的位置和数目以及一笔活动经费，具体数额我们可以从长计议，但无论如何，它至少应该可以支付：

购买颜料的费用

我本人的艺术贡献（我将负责给未来所有的核爆炸上色——把它们涂成蓝色）

我们先排除钴蓝色,这一点已经很清楚了,因为众所周知钴蓝色有放射性。我们应该只使用克莱因蓝。各位肯定知道,我能有今天的名气,全赖这种蓝色。

尽管我手头的工作很忙,特别是还要为宏伟的盖尔森基兴歌剧院创造氛围(原文如此),但对我来说,这个提议中所包含的人道主义价值使其优先于其他任何考虑。但千万不要觉得我是那种把物质放在艺术前面的人。恰恰相反,物质的解体(裂变)可以让我展演出世上最壮观的单色景象,我敢说,那是人类,甚至宇宙都绝对未曾见过的。

  在这双重意义上,尊贵的先生们,我仍然是你们最诚挚的

  K.

附言:很明显,经过我的国际克莱因蓝涂色操作,不仅爆炸本身,而且爆炸之后的废土也会被一律涂成蓝色。

抄送:教宗庇护十二世陛下、人权联盟主席、国际和平

委员会主席、联合国秘书长、联合国教科文组织秘书长、国际柔道联合会主席、《基督教科学报》主编、伯特兰·罗素、阿尔伯特·史怀哲

—— 信件 19

如果它没有经过深思熟虑，它就什么都不是

奥斯卡·王尔德致玛丽·普雷斯考特

1883 年 3—4 月

1883 年 8 月 20 日，一部松散地根据俄国革命者薇拉·查苏利奇的生平改编的戏剧在纽约联合广场剧院首演，由出生于肯塔基州的女演员玛丽·普雷斯考特担纲主演，剧本作者是爱尔兰剧作家奥斯卡·王尔德。《薇拉，或虚无主义者们》是王尔德的剧作中首部登台上演的。不幸的是，《薇拉，或虚无主义者们》没有赢得百老汇的欢心，这部短命的戏剧仅仅演了一星期，就在剧评人和观众两方面的如潮差评的夹击之下被提前撤档了，王尔德也随即回国。这一切都让下面这封信变得更有意思了——信是该剧上演几个月前王尔德写给玛丽·普雷斯考特的，距首演一个星期时，其中的一部分内容被策略性地发表在了《纽约先驱报》上。

—— **信件正文**

我亲爱的普雷斯考特小姐：

美国方面的文件已收悉，谢谢您费心寄出。我觉得我们必须记住这一点，无论打多少广告，都不能让一部差劲的戏成功，只要它的剧本不好，或是表演不佳，宣传声势再大也无济于事。我的意思是，我们尽可以每天两次，派涂成大红色的车队去纽约的街头巷尾宣布《薇拉，或虚无主义者们》是部绝妙的戏剧，一连这么搞上六个月，但如果它在首夜演出时台词不够有力，演员演得不够好，布景服装和道具安排得不够精良，那么全世界所有的广告也救不了它。我的名字出现在编剧栏上，会在伦敦和美国引起一些（人的）兴趣。您来饰演女主角，也无疑在观众的心里有很重的分量。我们要做的，是把所有成功的真正条件都掌握在自己手中。成功是一门科学，如果你掌握了条件，就能得到结果。艺术是情感上对美的欲求所必然产生的结果。如果它没有经过深思熟虑，它就什么都不是。

至于对话的问题，你可以通过引入喜剧来制造悲剧效果。观众席上的笑声不会破坏恐惧之感，相反，通过为情感提供映衬而加深了它。永远不要害怕自己会毁掉一部悲剧，只因为你让观众笑了。与之恰恰相反，你让悲剧效果更强烈了。每门艺术的准绳都取决于该艺术诉诸的人类官能。绘画诉诸视觉，因此绘画的基础是光学。音乐诉诸听觉，所以音乐的基础是声学。戏剧诉诸的是人类的本性，因此它的终极基础必然是心理学和生理学。而一个生理学的事实，就是人在经历任何一种极其浓烈的感情时，都渴望有另一种与之对立的感情来中和。喜极而泣和歇斯底里地笑，便是自然之戏剧效果的例证。因此，我不能去掉那些喜剧性的台词。另外，好对话的精髓在于打断。所有好的戏剧对话，都应该产生一种"人物们在对彼此的话做出反应"的效果。它绝不能让人感觉像是在演练某个作者早已写好的稿子，而且对话中的打断不仅有其艺术上的效果，也有其身体上的实际意义，让演员们有空缓一缓，好有力气继续说下面的台词。

亲爱的普雷斯考特小姐，我始终是你真诚的朋友

奥斯卡·王尔德

成功是一门科学,如果你掌握了条件,就能得到结果。

——奥斯卡·王尔德

—— 信件20
亲爱的编辑
阿德里安·派珀致多名编辑

2003年1月1日

阿德里安·派珀1948年出生于纽约,是一名概念艺术家和哲学家。以任何人的标准衡量,她在学术上和职业上的成就都堪称卓越。20岁就读于纽约视觉艺术学院时,她就开始在世界范围内展出作品。从该学院毕业后,她又跳到纽约城市大学,读了一个哲学的学士学位,随后进入哈佛大学的博士项目深造。加在一起,阿德里安总共接受了27年的正规教育,在此之后便在事业上一飞冲天。她获奖无数,其中包括2005年的威尼斯双年展金狮奖,她的多件作品进入了纽约现代艺术博物馆、大都会博物馆等知名展馆。她还写了几部哲学著作,并凭借它们获得了多份研究员奖金。2003年,此时已功成名就的派珀给所有编辑写了下面这封公开信。

—— **信件正文**

亲爱的编辑：

  请不要称我为"黑人艺术家"。
  请不要称我为"黑人哲学家"。
  请不要称我为"非裔美国人艺术家"。
  请不要称我为"非裔美国人哲学家"。

  请不要称我为"女艺术家"。
  请不要称我为"女哲学家"。
  请不要称我为"女性艺术家"。
  请不要称我为"女性哲学家"。

  请不要称我为"黑人女艺术家"。
  请不要称我为"黑人女哲学家"
  请不要称我为"非裔美国人女艺术家"。
  请不要称我为"非裔美国人女哲学家"。
  请不要称我为"黑人女性艺术家"。
  请不要称我为"黑人女性哲学家"。

请不要称我为"非裔美国人女性艺术家"。
请不要称我为"非裔美国人女性哲学家"。
请不要称我为"女性黑人艺术家"。
请不要称我为"女性黑人哲学家"。
请不要称我为"女性非裔美国人艺术家"。
请不要称我为"女性非裔美国人哲学家"。

请不要称我为"艺术家,还碰巧是个黑人"。
请不要称我为"哲学家,还碰巧是个黑人"。
请不要称我为"艺术家,还碰巧是个非裔美国人"。
请不要称我为"哲学家,还碰巧是个非裔美国人"。

请不要称我为"艺术家,还碰巧是个女人"。
请不要称我为"哲学家,还碰巧是个女人"。
请不要称我为"艺术家,还碰巧为女性"。
请不要称我为"哲学家,还碰巧为女性"。

请不要称我为"艺术家,还碰巧是个黑种女人"。
请不要称我为"哲学家,还碰巧是个黑种女人"。
请不要称我为"艺术家,还碰巧是个女黑人"。
请不要称我为"哲学家,还碰巧是个女黑人。"

请不要称我为"艺术家,还碰巧是个非裔美国女人"。

请不要称我为"哲学家,还碰巧是个非裔美国女人"。

请不要称我为"艺术家,还碰巧是个女非裔美国人"。

请不要称我为"哲学家,还碰巧是个女非裔美国人。"

请不要称我为"艺术家,还碰巧是个黑种女性"。

请不要称我为"哲学家,还碰巧是个黑种女性"。

请不要称我为"艺术家,还碰巧是个女性黑人"。

请不要称我为"哲学家,还碰巧是个女性黑人。"

请不要称我为"艺术家,还碰巧是个非裔美国女性"。

请不要称我为"哲学家,还碰巧是个非裔美国女性"。

请不要称我为"艺术家,还碰巧是个女性非裔美国人"。

请不要称我为"哲学家,还碰巧是个女性非裔美国人。"

请不要称我为"黑人艺术家和哲学家"。
请不要称我为"黑人哲学家和艺术家"。
请不要称我为"非裔美国人艺术家和哲学家"。
请不要称我为"非裔美国人哲学家和艺术家"。

请不要称我为"女艺术家和哲学家"。
请不要称我为"女哲学家和艺术家"。
请不要称我为"女性艺术家和哲学家"。
请不要称我为"女性哲学家和艺术家"。

请不要称我为"非裔美国人女艺术家和哲学家"。
请不要称我为"非裔美国人女哲学家和艺术家"。
请不要称我为"黑人女性艺术家和哲学家"。
请不要称我为"黑人女性哲学家和艺术家"。
请不要称我为"非裔美国人女性艺术家和哲学家"。
请不要称我为"非裔美国人女性哲学家和艺术家"。
请不要称我为"女性黑人艺术家和哲学家"。
请不要称我为"女性黑人哲学家和艺术家"。
请不要称我为"女性非裔美国人艺术家和哲

学家"。

请不要称我为"女性非裔美国人哲学家和艺术家"。

请不要称我为"艺术家和哲学家,还碰巧是个黑人"。

请不要称我为"哲学家和艺术家,还碰巧是个黑人"。

请不要称我为"艺术家和哲学家,还碰巧是个非裔美国人"。

请不要称我为"哲学家和艺术家,还碰巧是个非裔美国人"。

请不要称我为"艺术家和哲学家,还碰巧是个女人"。

请不要称我为"哲学家和艺术家,还碰巧是个女人"。

请不要称我为"艺术家和哲学家,还碰巧为女性"。

请不要称我为"哲学家和艺术家,还碰巧为女性"。

请不要称我为"艺术家和哲学家,还碰巧是个黑种女人"。

请不要称我为"哲学家和艺术家,还碰巧是个黑种女人"。

请不要称我为"艺术家和哲学家,还碰巧是个女黑人"。

请不要称我为"哲学家和艺术家,还碰巧是个女黑人"。

请不要称我为"艺术家和哲学家,还碰巧是个非裔美国女人"。

请不要称我为"哲学家和艺术家,还碰巧是个非裔美国女人"。

请不要称我为"艺术家和哲学家,还碰巧是个女非裔美国人"。

请不要称我为"哲学家和艺术家,还碰巧是个女非裔美国人"。

请不要称我为"艺术家和哲学家,还碰巧是个黑种女性"。

请不要称我为"哲学家和艺术家,还碰巧是个黑种女性"。

请不要称我为"艺术家和哲学家,还碰巧是个女性黑人"。

请不要称我为"哲学家和艺术家,还碰巧是个女性黑人"。

请不要称我为"艺术家和哲学家,还碰巧是个非裔美国女性"。

请不要称我为"哲学家和艺术家,还碰巧是个非裔美国女性"。

请不要称我为"艺术家和哲学家,还碰巧是个女性非裔美国人"。

请不要称我为"哲学家和艺术家,还碰巧是个女性非裔美国人"。

亲爱的编辑:

如果我上面漏掉了哪一种排列组合,望您不吝指出。

我写这封信是要告诉您:

我为自己挣得了被称作"艺术家"的权利。

我为自己挣得了被称作"哲学家"的权利。

我为自己挣得了被称作"艺术家和哲学家"的权利。

我为自己挣得了被称作"哲学家和艺术家"的权利。

我为自己挣得了以任何我喜欢的方式称呼自己的权利。

提前感谢您的理解。

阿德里安·派珀

2003年1月1日

—— 信件 21

绘画和雕塑完全是一回事
米开朗琪罗致贝内代托·瓦尔基
1549 年

1543 年,意大利人文主义者、诗人贝内代托·瓦尔基写信给多位著名艺术家,询问他们关于"帕拉贡"[1]的意见。"帕拉贡"是意大利文艺复兴期间雕塑家与画家之间的一场长期而激烈的、关于哪门艺术更优越的辩论。瓦尔基收到了 8 个人的回复,大多数人自然是支持自己从事的行当,这完全是意料之中的。然而,其中一位恰恰是在雕塑和绘画方面都成就斐然的大师——米开朗琪罗·迪·卢多维科·博纳罗蒂·西蒙尼,我们今天一般只简单地称他为"米开朗琪罗"。

---

1. 帕拉贡(paragone),直译为"比较"。

—— 信件正文

尊敬的贝内代托先生：

为了向您确认我已经收到了您的小书——我的确收到了——我便不揣浅陋，试图对您的问题做出某种回答。我要说，在我看来，绘画越是接近浮雕的效果就越出色，而浮雕作品越是接近绘画的效果，就显得越差劲。此前，我一直觉得雕塑是绘画的指路明灯，此二者之间的差距，就如同太阳和月亮之间的差距一样巨大。

但现在我读过了您的这本小书，在书中您提到，从哲学上讲，如果两个事物分享同一个目的，它们就完全是一回事。这让我改变了看法。我现在要说，如果更好的判断力和更大的困难、阻碍和辛劳并不能赋予事物更高贵的特质的话，那么绘画和雕塑就完全是一回事。我们可以这样认为，没有哪个画家应该觉得绘画比雕塑值得更多的尊敬。我说的雕塑，是指通过将多余的部分从大块原材料上去除来制作的那种，而通过把东西加上去制作的那种则更像绘画。说这么多已经足够了，因为无论是绘画还是雕塑，它们都是以同一种理解为出发点的。我们应该让两者停止争执，握手言和——因为人们花在争论两者优劣上的时间，已经比花在工作本身的时间多了。

至于称绘画比雕塑更高贵的人，如果他在他讨论的其他话题上也没有表现出更高明的理解的话，我的女仆都会比他写得好。关于此类事情，一个人可以发表无数的看法，还都是别人未曾说出过的；但就像我所说的那样，这要花太多的时间，而我是个时间不多的人。因为我不只是年事已高，简直已经算是踏进了坟墓：所以我请求您宽宥我的沉默。我向您致意，并衷心感激您给予我这么大的、我本不配得的荣耀。

您的米开朗琪罗·博纳罗蒂

罗马

—— 信件 22
成为艺术家,是因为这样你才能活着
舍伍德·安德森致约翰·安德森
1927 年 4 月

    美国作家舍伍德·安德森于 1876 年出生于俄亥俄州的坎姆登市。他年轻时的大部分时间都在从事各种体力劳动,直到后来在广告业找到一份工作,但不久,一次精神崩溃就终止了这段短暂的职业生涯。最终,他得以凭借他最爱的活动——写作——来养活自己和家人。今天,人们知道他主要是因为他出版于 1919 年的颇具影响的短篇小说集《俄亥俄州温斯堡》(又译《小城畸人》)和 1925 年的长篇小说《黑色的笑》。1926 年 12 月,安德森和他的妻子伊丽莎白带着他们的两个孩子约翰和咪咪,于纽约登上了美国"罗斯福"号轮船,前往欧洲并在那里停留了很久。安德森夫妇把两个孩子留在了法国上学。翌年 4 月,安德森一回到美国,就给他正在巴黎学习绘画的儿子写了下面这封劝诫信。

—— **信件正文**

> 弗吉尼亚州,格兰特
>
> 李普欣农场

亲爱的约翰:

我昨天的信里有些话忘记说了。

是关于绘画的。

不要因为某个事物是摩登的,是最新潮的,就被它迷住。

要经常去卢浮宫,花大量的时间在那些伦勃朗和德拉克洛瓦的作品前面。

学习画素描。多多训练,直至你的手熟练到可以下意识地画出此刻所感,而无须思考它们。

然后,你就可以思考你所面对的事物了。

画那些对你有某种意义的东西。一个苹果,那是什么意思?

画作的题材本身并不重要。重要的是它在你心里唤起的感觉,它对你的意义。

哪怕是描绘一碟小萝卜的画也可以成为杰作。

去画吧,画上成百上千张。

努力保持谦逊。自鸣得意会毁掉一切。

艺术的目的不是制造出卖得掉的图画,而是拯救你自己。

我自己生命中的所有清晰和明确,都要归功于我对文字的感受。

那些写关于我的文章的傻瓜,以为我是在某个早晨突然决定写作,便马上写出了绝妙的作品的。

无论是写作,还是绘画,都没有什么特别的窍门。我是在笔耕不辍了十五年之后,才开始写出像样的作品来的。

在过去的几天、几星期,甚至几个月里,我都没法写作。

你上个冬天在巴黎见过我。当时我正处在一种毫无头绪、头脑空空的状态里。你一生中总要经历许多这样的时刻,只能自己挨过去。

当然,重要的是,要让你自己活着。绝大多数人终生都在一种行尸走肉般的状态中度过。

成为艺术家,是因为这样你才能活着。

关于你之前的信中提到的一些事情。我之前说的是:"如果某件事你做了之后会羞于告诉我,那就不要去做它。"

我是错的。

在这件事上你不能指望我。如果某件事你做了之后会羞于告诉一张稿纸，或一幅画布，那就不要去做它。

这些材料必须要扮演上帝的角色。

关于色彩，要当心。尽可能多地去接近自然，而非颜料铺子——其他人的调色盘。观看建筑在每种光线下的样子。学会观看不起眼的小东西——一个红苹果躺在灰色的布上。

树木——以群山为背景的树木——一切。我所知的东西已经足够少了。我觉得，如果我想要学习颜色的话，就总要将事物彼此分离开。此刻我面前有一片犁过的原野，原野下方是一片荒草地，半腐烂的玉米秸秆躺在草地上，像是一条条黄色的线和一个个色块，从这里看上去，有时像是在看墨水瓶的内部，有时几乎变成了蓝色。

构图的本质也与之相似。

你看着它，思考它为什么会是那种颜色。我曾经在从远处看到一片原野之后，特意走到上面仔细观察过——试图搞清楚我在远处看见的那种颜色是由什么形成的。

光线的影响多么大啊。

你永远不会"到达"。这是一场无尽的求索。

我说这些话,是把你当成一个男子汉了。你一定要知道我心里总是记挂着你。

我想要的不是你得到成功。有这样一种可能性,你能够以一种体面正派的态度对待人和工作。做到这点就足以让你算得一个男子汉了。

S.A.

—— 信件23
那个人的四肢画得多么好啊!
宝拉·莫德松-贝克尔致卡尔·沃尔德玛·贝克尔

1897年2月27日

德国画家宝拉·莫德松-贝克尔因难产引发的并发症而去世时,年仅31岁。然而,在这过于短暂的生命中,她仍然留下了大量令人惊叹的作品,油画超过500幅,素描甚至更多。这些作品奠定了她作为起源于她的故乡德国的表现主义运动中最重要艺术家之一的地位。她还留下了大量的来往信函。下面这封家信写于1897年,在此几个月前她刚刚进入由柏林女艺术家协会建立的、声望很高的艺术学校。她的父母毫无保留地支持她求学。信中,她进入新环境后的热切、兴奋显而易见。

—— 信件正文

亲爱的老爸，在用功一个上午之后，能坐下来给您写信是多么愉快啊。谢谢您送给我那么漂亮的一盒粉彩笔。我总是时不时看向那一排排棒呆了的笔，急不可耐地想开始拿它们画起来了。

我现在的模特是个匈牙利小男孩。他是个捕鼠者，一句德语都听不懂，所以虽然他每天早上都迟到半个小时，我也没法责骂他。但画他可真是太有意思了。

上星期四下课后，我第一次去了铜版画陈列室。之前我好几次来到它的玻璃门前，但里面那种严肃沉重的气氛让我望而却步。昨天我鼓起勇气走进去了，感觉自己就像一个闯进圣所的外人。一个工作人员走过来，一言不发地递给我一张小纸条，让我写下自己想看的作品名字："米开朗琪罗的素描……"然后他给我拿来了一个巨大的对开本。我迫不及待地翻开了它，同时也强烈地意识到周围绝大多数都是男人，而我是这里唯一的女性，我多么希望其他人不要注意到我啊。但是，我一翻开书页，开始研究米开朗琪罗那强有力的笔触时，就把其余的一切都抛到脑后了。那个人的四肢画得多么好啊!

前些天晚上,我们的写生课上来了一个绝妙的模特。最开始,他就那么站在那里,我震惊于他看上去是多么丑陋和枯槁。但他一开始摆姿势,就完全像换了一个人。他把所有肌肉收紧,于是他的背上就现出了起伏的涟漪。我感到兴奋极了。他竟能让我产生如此大的反应,这太奇怪,也太美妙了!我可以整个人都沉浸在我的艺术之中!真是美妙啊!我现在只希望自己能将这种感觉转化成好的作品。但想这些还太早了——它只会让我不安。

有件很有意思的事我要和你们讲一讲。妈妈,您还记得您带回不来梅的那幅画吗?画的是一个长着美丽的黑色头发的裸女。啊,我在鲍克小姐的课上又画了她一次。当时她和我都穿着带白领子的黑连衣裙,但她那条裙子比我的时尚多了。她向前伸出一只穿着漂亮鞋子的脚,姿势看上去那么优雅,让我不由自主地想把自己笨拙的脚遮起来不让人看见。之后,当这个年轻姑娘第二次来给我们当模特的时候,我们发现她那一头浓密的黑发不见了,变成了美丽的栗色头发。她给我们讲了个她洗头的时候如何拿错了瓶子的故事,但我在心里暗暗想,哦,没错,这就是生活!

这太奇怪,也太美妙了!我可以整个人都沉浸在我的艺术之中!真是美妙啊!

——宝拉·莫德松‐贝克尔

—— 信件 24
具体来说，就是一场决斗
马克·波林致丹尼斯·奥本海默
1982 年 12 月 10 日

  出生于 1953 年的艺术家兼发明家马克·波林创办了"生存研究实验室"。这是一个"工业表演艺术"小组，自 1978 年诞生以来，一直在组织大规模的、精心编排设计的表演，展示巨大的机器和机械化雕塑之间的互动。20 世纪 80 年代初，波林开始发现他的同行，另一位表演艺术家丹尼斯·奥本海默也在做类似的机械装置秀。下面这封信是他对此的回应。

—— 信件正文

> 1982年12月10日

亲爱的丹尼斯·奥本海默:

作为机械表演概念的创始人,以及它最活跃的倡导者,我意识到,你在乏力而毫无灵性地试图摆弄强力机械已经有一阵子了。最初,我以为这只是一条不相干的偶然消息,只表明一个过气的老纽约艺术家拼命想挤回那个有钱赚的圈子罢了,无论我本人,还是我在"生存研究实验室"的协助者,都没必要太放在心上。然而,我们却逐渐发现自己越来越多地被人拿来和你做比较,这是我们很不乐意见到的。你那些无足轻重的机械秀给我们引来的闲言碎语本来已经够讨厌的了,结果还有更过分的,我在纽约城里的一些相识,竟暗示说我们两人的活动之间的相似之处可能不只是巧合而已。在考虑了几种可能的选择之后,我认定,我机构的荣誉所受到的这种侮辱,只能通过正面冲突来解决。具体来说,就是一场决斗,用我们自己挑选的机械,在一个向公众开放的,位于纽约城内或周边的地方进行,具体地点由你来定;比拼的结果由一个我们二人都能接受的七人评委团来做出裁决；时间选在 1983 年 8 月结束之前。如果这封信在一个合理的时间期限里没有得到回复，我们"生存研究实验室"的人就可以安心确认，你折腾的那些东西只不过是些没胆色的唬人玩意儿，宣传上用了些聪明手段，还有个富裕又无聊的社会精英在背后出钱。

你真诚的

马克·波林

生存研究实验室主理人

—— 信件 25
我不再是个艺术家了
保罗·纳什致玛格丽特·纳什
1917 年 11 月 13 日

　　1915 年，伦敦，曾在西线服役，后因负伤回国的英国艺术家埃里克·肯宁顿在他养伤期间开始绘制《拉旺蒂的肯辛顿团》。这幅油画描绘的是他所在的步兵排站在一片被战火摧残的废墟中间，现在已经成了战争题材绘画的代表性作品。这幅画后来展出了并大获成功，于是英国政府便开展了一项宣传计划，主动委托一批艺术家去以绘画报道战争。擅画风景的超现实主义画家保罗·纳什就是首批"官方战争艺术家"中的一员。1917 年 11 月，纳什所在的部队驻扎在比利时帕斯尚尔战役的战场附近时，他感到彻底的幻灭。周围目之所及尽是地狱般的景象，以至于他无法忍受在任何一种画布上描绘它们。纳什在下面这封写给妻子玛格丽特的信中，试图将这种经验用文字传达出来。

—— 信件正文

吾爱：

我希望你收到了我的信。我已经驻扎在这里一个星期了，而且已经发电报把新地址告诉了总司令部，所以可能很快我的信就能被转过来……

昨天夜里，我去了一趟北边的旅司令部，这段路我将终生难忘。我见到了最可怖的噩梦般的国度，比起现实，更接近但丁或爱伦·坡笔下的景象——完全无法描述，难以言传的可怕。这种恐怖，你或许能从我这 15 幅素描中窥见些许，但只有你身处其中，成为这景象的一部分，才可能充分认识到这恐怖的本质，以及我们这些在法国前线的人被迫面对了什么。我们所有人都模模糊糊地知道，战争是可怕的。我们读那些较有才华的战场通讯员发回的报道，看《每日镜报》上刊载的照片，在它们的帮助下也想象得出战场的大致景象；但没有任何一支笔，或一幅素描，可以描绘这个国度——日夜不休，连绵数月的战斗现在已成常态。只有邪恶本身，与它所化身的魔鬼才能胜任这场战争的典礼官，而上帝连一丝影子都看不见。对于这里的人来说，日落和日出成了渎神的嘲弄，只有从那伤痕累累，肿胀变形的云中落下的黑雨，或是痛苦无望的漆黑暗夜，才是这样一片土地上该有的天候。雨昏天黑地下个不停，散发臭气的烂泥变成了更邪恶的黄色，弹坑里满是水，一泡泡的发绿发白，大路和小径上都覆着数厘米深的泥浆，黑色的将死的树干上流出汁液来，而炮弹无休无止地落下。它们带着呜呜声飞过头顶，击飞了残存的腐烂的树桩，砸断了木制栈道，打死了驮马和骡子；毁灭、致残、令人发疯；它们砸进坟墓，把可怜的死人炸成碎片。这一切都无以言喻，这里没有上帝、没有希望。我不再是个充满兴趣和好奇心的艺术家了。我是一个信使，要把那些正在战斗的人的口信带给那些想要战争永远进行下去的人。我的口信疲弱而支离破碎，不知所云，但它将传达痛苦的真相。我希望它能烧灼那些人丑恶的灵魂！

我至今还没收到任何信。我希望他们能想着把信转寄过来……一两天后我就会有更多话可以说了，也不会这么阴沉沮丧了。我盼着我亲爱的人儿们的消息。我不得不和我的宝贝甜心暂时告别了，长长地吻你，用只有我们才能吻的那种长长的吻。

最恋慕你、崇拜你的爱人
保罗

—— 信件 26

一板会爆炸的巧克力

维克托·罗斯柴尔德勋爵致劳伦斯·菲什

1943 年 5 月 4 日

  1919 年生于伦敦的劳伦斯·菲什是位很受尊敬的商业插画家,以他无可挑剔的平面设计和专业的绘画技巧在业内闻名遐迩。在他长久而卓越的职业生涯中,菲什接到过许多英国商业巨头的委托,包括英国铁路公司、邓禄普轮胎、壳牌和英国石油公司;设计过无数的杂志封面和获奖海报;他的作品在皇家艺术学院和皇家画师学院都有展出。然而他接到的最重大的委托,无疑来自 1943 年的这封信,当时第二次世界大战正到了最激烈的时候。写信人是维克托·罗斯柴尔德勋爵——时任军情五处反间谍部门的主管——他希望菲什为他画一幅画,以回应纳粹的一次新奇而终告无效的、意在刺杀温斯顿·丘吉尔的行动计划。

—— **信件正文**

> 机密
>
> 议会街 500 号信箱
>
> 伦敦，S.W.1
>
> SF.54/7/57/B.1.C.
>
> 1943 年 5 月 4 日

亲爱的菲什：

我想知道您是否可以给我画一幅描绘一板会爆炸的巧克力的画。我们得到的情报称，敌人正在搞新花样，用表面涂上薄薄一层真巧克力的铁板冒充一磅重的巧克力排块。铁板里装的是一种威力巨大的炸药和某种延迟爆炸的机制，但我们还不清楚那种机制究竟是什么，所以也没法画得太具体。我希望您画的是：当你从一板巧克力的边上掰下一块，就像我们正常吃巧克力的时候那样，被掰掉的那块并没有直接掉下来，而是在断裂处露出了塞在巧克力中间的帆布，这块布把掰下来的小块与剩余部分的巧克力连在一起。如果用力猛拉巧克力的两边，帆布会被扯出来，这便启动了爆炸装置。我随信附上一幅潦草的素描草图,是某位真正见过那东西的人画的。假巧克力的外包装就是常见的那种黑纸金字,品牌是彼得斯。请问您是否可能画这样一幅画?如果可以的话,让画中的包装纸被撕掉一半,好把巧克力的一头露出来,然后再画巧克力从中间被掰开,露出夹在里面的帆布。画下方附的文本要说明,掰下来的这块巧克力,带着连在上面的帆布一起被猛扯出来之后七秒钟,炸弹就爆炸了。

请寄回随信附带的素描图。

您真诚的

罗斯柴尔德勋爵

我想知道您是否可以给我画一幅描绘一板会爆炸的巧克力的画。

——罗斯柴尔德勋爵

—— 信件 27

让那个展览见鬼去吧
弗里达·卡洛致尼古拉斯·穆雷

1939 年 2 月 16 日

1939 年 1 月,战争的阴影笼罩着欧洲的时候,墨西哥国民级画家弗里达·卡洛第一次造访了法国。她是应作家暨超现实主义流派创始人安德烈·布勒东的邀请来的。1938 年,被她的作品深深吸引的布勒东曾为她在纽约举办了成功的首场展览,此时他非常热切地想在巴黎再现这种成功。然而,一来到法国,卡洛便意识到布勒东是多么的不靠谱:最紧急的一件事是,她的画作被海关卡住了,而且布勒东并没有适合展出它们的场地。在马塞尔·杜尚的帮助下,画展"墨西哥"最终得以在巴黎的雷诺科莱画廊开幕,在其中,她的作品与曼纽尔·阿尔瓦雷斯·布拉沃的摄影等她称之为"垃圾"的东西一道被展出。在展览即将开幕的时候,卡洛患上了肾脏急性感染。她是在医院里给她的情人,摄影师尼古拉斯·穆雷写这封信的,在信中她大大地抱怨了一番。

展览结束后,卡洛迅速逃离了法国,回到了她的祖国墨西哥,但在回国之前,她把一幅自画像《框架》卖给了卢浮宫——这是这座举世闻名的博物馆买下的第一件由20世纪墨西哥艺术家创作的作品。

—— 信件正文

巴黎，1939年2月16日

我最可爱的尼克，我的情郎：

我是在美国人开的医院的病床上给你写这封信的。我昨天才退了烧，他们也允许我吃一点东西了，现在我感觉好了点。两个星期前我病得非常重，连走路都困难，他们是用救护车把我拉进来的。你知道，我也不知道我是怎么搞的，竟然能让肠道里的大肠杆菌感染到肾脏。当时我炎症反应特别强烈，疼得要命，真的觉得自己要死了。他们给我的肾脏拍了好几张X光片，它们看上去像是被大肠杆菌感染了。不过现在我的确感觉好了不少，下周一就可以离开这个破烂医院了。我不能去住旅馆，因为那里没有别人陪我，于是马塞尔·杜尚的妻子邀请我去跟她住一个星期，把身体再养好些。今天上午我收到你的电报，哭了好一会儿——因为高兴，也因为我好想好想你，我的整颗心和每一滴血都在想你。你的信，我的甜心，是昨天到的，它是这么美妙、这么充满柔情，以至于没有语言可以描述我读到它是多么快乐。我的爱人，相信我，我从来没有这么爱恋过其他任何人——在我心里，只有迭戈的地位可以和你相比——永永远远。关于这次生病的事，我还一个字都没告诉迭戈，因为他肯定会担心得要死，而我想我的病马上就要好了，用不着平白让他担心。

难道不是吗？

抛开这该死的病不谈，我到这边之后简直是诸事不顺，倒霉透顶。首先，展览的事整个就是一团糟。我人都来了，我的画竟然还丢在海关呢，因为布勒东根本没想起来去领它们。那些你几百年前就寄出了的照片，他根本没收到——他自己是这么说的，他们根本就没为展览准备场地，布勒东自己的画廊早就没了。于是我不得不跟个傻子似的等了好久，直到后来认识了马塞尔·杜尚（超棒的画家），可能是超现实主义圈子里面唯一一个靠谱的，剩下那些有一个算一个都是帮脑子缺弦的疯子。他立刻就把我的画领了回来，然后开始帮忙找画廊。最后，有个叫"皮埃尔科莱"的画廊答应承办这场该死的展。现在呢，布勒东打算把我的画跟14幅19世纪墨西哥人的肖像、32张阿尔瓦雷斯·布拉沃的照片，还有一大堆他在墨西哥的市场上买的流行玩意儿——全是些垃圾——一块展出。这你敢信？本来呢，3月15日画廊就该布置好了。但是……那14幅19世纪的肖像非得修复不可，这一修复就得一个月。我不得不借给布勒东两百（美元）用来付修复的费用，因为他口袋里半个子儿都没有。（我发了封电报给迭戈说了这些事，还告诉他我借了布勒东钱——他火冒三丈，但事已至此，我也没什么办法。）我手上的钱还够在这里待到三月份，所以我也不太担心。

好啦，事情总算多少按我前面讲的安排妥当了之后，前两天布勒东突然告诉我，皮埃尔科莱画廊的一个合伙人，看见了我的画，他说里面只有两幅可以展出，其余的对公众来说都太"惊世骇俗"了。但我病得太重，也对这整件事太厌烦了，就让一切全都见鬼去吧，我得赶紧离开巴黎这个糟烂地方，再待下去自己也要疯了。这帮人让我恶心想吐。全是所谓的"知识分子"，一群烂人，我再也忍不下去了。我这人性格就是这样，我宁愿在托卢卡莱市场的地上坐着卖玉米面卷饼，也不想再跟巴黎这帮"艺术圈"浑蛋打交道了。他们整天整天地在"咖啡馆"里焐他们贵重的屁股，喋喋不休地大谈"文化""艺术""革命"，凡此种种，以为自己是俗世里的神灵什么的，做些扯淡的白日梦,用一个接着一个从没落过地的"理论"污染空气。第二天早上醒来,他们家里什么吃的都没有,因为那帮人里没一个去工作,全跟寄生虫似的靠那一小撮欣赏他们"天才"的有钱傻蛋供着。这群人完完全全就是一堆垃圾,没别的。我从没见过迭戈或者是你,会在愚蠢的八卦和"知识分子"的瞎扯淡上浪费时间。这就是为什么你们是真正的男人,而不是蹩脚的"艺术家"——呕!来这边一趟还是值得的,哪怕就是为了看看欧洲究竟为什么一天天烂下去,看着这一大帮游手好闲的废物,我就知道为什么了。我敢用性命打赌,我这辈子永远会讨厌这个地方和这群人。他们身上有种极其虚伪、极其不真实的东西,让我一看见就来气。我现在只希望病快点好,好让我赶紧离开这地方。

我的船票有效期还很长,但我已经预订了3月8日"法兰西岛屿"号上的位子。我希望能坐这班船走。无论如何,最迟到3月15日我一定得离开。让伦敦的展览见鬼去吧。让跟布勒东和这个蠢地方有关的一切都见鬼去吧。我想回到你身边。我想念你身体的每一个动作、你的嗓音、你的眼睛、你的手、你美丽的嘴、你清亮而诚实的笑声。你整个人。我爱你,我的尼克。想到我爱着你,想到你等着我、爱着我,我真高兴。

我亲爱的,替我吻妈妈许许多多次。我一直记挂着她。也替我吻阿丽雅和莱亚。至于你,我的心里充满了柔情和爱抚,全都是给你的。在你的脖颈上印一个特别的吻。如果你见到玛丽·斯凯尔和鲁兹的话,代我问候他们。

泽奇特(Xochite)

—— 信件28
我不是他的"莫里茨"
米克·贾格尔与M.C.埃舍尔
1969年1月

神秘而深居简出的荷兰艺术家M.C.埃舍尔生于1898年,父亲是土木工程师乔治·埃舍尔,母亲名叫莎拉·格里奇曼。20世纪30年代中期之前,埃舍尔和他的妻子耶塔·乌米克一起生活在罗马,这期间埃舍尔画了许多以他身边的景观和自然场景为题材的作品。直到大约1935年时,他见到西班牙阿尔罕布拉宫地面和墙面的一些几何镶嵌图案后,才开始画出那些让他在今天名声大噪的,令人迷惑的"烧脑"作品:他自己称之为"心理意象"的视错觉图像。1969年1月,在71岁的埃舍尔完成他的最后一幅版画《蛇》几个月前,他收到了"滚石"乐队主唱米克·贾格尔的来信,对方提了一个有关乐队即将推出的新专辑《透过往昔看去,模糊不清(热门单曲第二辑)》的请求。埃舍尔很快就给出了回复。

—— **信件正文**

亲爱的莫里茨：

我挺久之前就得到了一本你的书《……绘画作品》，而且我每次翻开它，研究你的画，它们都让我惊叹不已！实际上，我觉得你的作品棒极了，如果能让更多的人看见，知道并理解你在做的事情，我会非常高兴的。

今年3月或4月，我们将要发行一张新的唱片，我特别想在封套上印上一幅你的作品。请问你可以考虑为我们的唱片专门设计一幅"图画"吗？或者如果你有什么还没发表的作品，你觉得可能合适的——我对"视错觉"这个点子非常有兴趣，但像《进化》那样的当然也完全可以——它表达的东西也是一样的。你甚至可能想做一幅长的，像《变形记》那种，那样的话我们就把它做成一个可以打开的折页式封套。你想把它做成单色的还是彩色的都可以，全听你的。

当然，你本人和你的出版商的名字都会署在封套上，然后如果你决定合作，就让我们商议一个酬金的数额。如果你可以写信到上面的地址，或是通过电话（可以由接听方付费）联系彼得·斯韦尔斯，或者乔·伯格曼小姐的话，我将感激不尽。两个人都可以为你提供所需的一切帮助。不过，因为我没那个运气找到一位荷兰语翻译，所以如果你不讲英语或是法语的话，就还要再麻烦你在巴伦找个人帮忙了。

你非常真诚的

米克·贾格尔

"滚石"乐队有限公司

* * *

埃舍尔写给彼得·斯韦尔斯先生的回信

1月20日

亲爱的先生：

几天前我收到了贾格尔先生的信，他问我能不能为他设计一幅图片，或是把我的一幅未发表作品转让给他，用来做唱片封面。

我对两个问题的回答都是"不"，因为我想要把全部时间和注意力都用在我已经投身其中的许多项事业上，不可能再接受新的任务，或是把一丁点时间花在到公众面前抛头露面上了。

顺便，请告诉贾格尔先生，我不是他的"莫里茨"，而是……

非常真诚的

M.C. 埃舍尔

—— 信件 29

我被 MOCA 的决定震惊了

汉斯·哈克致理查德·科夏莱克

1995 年

    1995 年,洛杉矶当代艺术博物馆(MOCA)的一场名为"1965—1975:对艺术品的重新思考"的展览开幕前夕,55 名参展艺术家惊愕而沮丧地得知,该展览连同他们的参展艺术品,都是由菲利普·莫里斯烟草公司赞助的。他们对这个消息的反应各不相同,但大多数人都感到气愤。德国艺术家汉斯·哈克带头给博物馆的馆长理查德·科夏莱克写了这封信,随信附上了其他参展成员的反对意见。阿德里安·派珀干脆将她的展品全都收回了,要求以她已故父母的照片代之,她的父母二人都死于长期吸烟导致的疾病。科夏莱克拒绝了她这个要求。

—— **信件正文**

1995年10月10日

亲爱的科夏莱克先生：

从洛杉矶当代艺术博物馆预定在本周举办的"1965—1975：对艺术品的重新思考"展览开幕式的邀请函上，我惊愕地得知，"暂时的当代"画廊重新开放的庆典，以及似乎（这里措辞不是很清楚）这场展览本身，都是由菲利普·莫里斯烟草公司赞助的。

当您请求我出借作品《夏波斯基等，曼哈顿地产租房区，一个实时社会系统，1971年5月1日》参展的时候，并没有提到展览的赞助商是谁——很不幸，我也没想起来问。

让我来解释一下，我为什么对洛杉矶当代艺术博物馆同意菲利普·莫里斯烟草公司成为这场活动的赞助商感到震惊。

正如美国卫生和公众服务部前部长路易斯·沙利文博士曾在1990年直截了当地说过的那样："香烟是唯一一种，当你按着它被计划使用的方式使用它时会致人死亡的合法产品。"据政府机构估计，每年有超过

30万美国人死于与吸烟相关的疾病，吸烟每年为国家造成的经济损失足有5200万美元之多，这既包括了它带来的公共卫生开支，也包括因它而失去的工时。

最近，加利福尼亚州的国会议员亨利·A.韦克斯曼曾以公司内部文件和科学分析为依据，指控菲利普·莫里斯烟草公司刻意操控香烟里的尼古丁含量，从而实质性地操控了其成瘾性。美国食品与药品管理局得出结论，尼古丁是一种需要被管控的药物。

在出于公关目的而赞助艺术活动之外，菲利普·莫里斯烟草公司同时也支持参议员杰西·赫尔姆斯。这个公司不仅定期献金支持该参议院的重新竞选宣传活动，而且它还捐了很多钱给北卡罗来纳州的杰西·赫尔姆斯中心，这个中心致力于宣传该参议员提出的"美国价值观"。

您想必知道，赫尔姆斯参议员一心想要搞掉国家艺术基金会，而您的博物馆、这场展览和受邀艺术家中的许多人都受惠于这个机构。其中明晃晃的反讽令人心寒。

该参议员对言论自由和多元性取向的敌意早已无人不知，更不要说他在其他许多事务上的立场，也与可能是所有参展艺术家的信念水火不容。当菲利普·莫里斯在1990年公开宣布支持赫尔姆斯参议员时，艾滋病联合声援协会（ACT-UP）曾在国际层面上号召人们抵制该公司的产品。许多艺术家都加入了抵制阵营。

您也一定知道，菲利普·莫里斯烟草公司去年曾威胁说，如果纽约市议会通过公共场合吸烟的禁令，他们就要撤回对城中一些艺术活动的赞助。这让您在纽约的博物馆界同仁迫于压力，成了烟草业的游说者。一个公司竟会如此厚颜无耻地将文化作为要挟的筹码，是此前闻所未闻的。

"1965—1975：对艺术品的重新思考"的参展艺术家们，属于这样一代人，正如您的邀请函中所写的那样，他们"开始质疑艺术的本质、意义和功能，因而标志着在与传统的艺术生产活动在形态上和概念上的断裂"。您还说，"以此作为洛杉矶当代艺术博物馆'暂时的当代'画廊的重开首展，是个相当好的兆头"。

考虑到您做过的这些陈述，对参展艺术家及其作品的尊重，以及像贵博物馆这样的机构的利益和伦理立场之所在，洛杉矶当代艺术博物馆有特别强烈的理由拒绝给予菲利普·莫里斯烟草公司与本次展览产生关系的殊荣。

您真诚的

汉斯·哈克

—— 信件 30

放手去做!
索尔·勒维特致伊娃·海瑟
1965 年 4 月 14 日

1960 年,两位美国先锋艺术家索尔·勒维特与伊娃·海瑟一见如故,迅速发展出了一段坚固而深刻的友谊。在接下来的十年中,他们之间展开过无数次富有启发性的讨论和成果丰硕的想法交流。事实上,直到海瑟生命的最后一刻,他们一直是无比亲密的挚友——海瑟于 1970 年 5 月不幸死于脑瘤,年仅 34 岁。1965 年,在他们友谊的中途,伊娃经历了一段自我怀疑的时期,创作遇到了瓶颈。她向索尔倾诉了自己陷入的困境。几个星期后,索尔以下面这件艺术品回复了她——一封美妙的、无价的建议信。自那以后,这封信就一直在为世界各地的艺术家持续提供着激励,此刻,它的复制品正挂在全球无数个艺术工作室的墙上。

—— 信件正文

4月14日

亲爱的伊娃：

距你写信给我，已经过了将近一个月，你可能已经忘了你当时的心境，尽管我怀疑事实并非如此。看上去你还一如往常，依然每一分钟都痛恨着自己。不要这样！要学会时不时地对世界说，"去你的"。你绝对有权这么说。停止思虑、担忧、瞻前顾后、纳闷、怀疑、害怕、受伤、盼着能轻松脱身、挣扎、贪求、困惑、发痒、抓挠、喃喃自语、装模作样、抱怨个不停、自轻自贱、跌跌撞撞、麻木不仁、喋喋不休、投机取巧、辗转反侧、胡乱涂抹、敷衍了事、搭便车、孵小鸡、讲坏话、唉声叹气、哼哼唧唧、磨洋工、剔骨头、瞎扯淡、吹毛求疵、挑三拣四、大发脾气、多管闲事、招摇撞骗、挑起事端、指指戳戳、鬼鬼祟祟、长久等待、徘徊不前、仇视他人、抱团互捧、寻觅、停驻、抹黑，消磨、消磨、把你自己消磨殆尽。停止这一切——

放手去做！

从你的描述，以及我对你之前的作品和你的能力的认识来看,你在做的事听起来很棒:"线描画——笔法干净——像机器一样清晰而又疯狂,更宏大、更大胆……真正的无意义。"我感觉这很不错,简直绝了——真正的无意义。更多地去做。做更无意义、更疯狂、更多的机器,更多的无论什么东西——让它们都充满了无意义。试着去引动你内心的某种东西、你"古怪的脾气"。你属于你内心最隐秘的部分。不要为变酷而忧虑,去创造你自己的"不酷"。造你自己的东西,你自己的世界。如果你感到恐惧,就让这恐惧为你所用——把你的恐惧和焦虑画成画儿。停止担忧那些宏大深奥的问题,比如"去为生活确定一个目的和方式,一种持续的途径,以接近某个不可能达到的,甚或干脆是想象出来的目的"。你必须练习愚笨,练习呆傻,练习什么都不想,把头脑放空。然后你才能够——

放手去做!

我对你非常有信心,尽管你在折磨你自己,你做出来的作品仍然好极了。试着做一些坏作品吧——做你能想到的最差的作品,然后看看会发生什么,但最主要的是你要放松,让一切都见鬼去吧——你无须为这个世界负责——你只要为你的作品负责就好了——

所以，放手去做！千万不要觉得你的作品必须遵从任何一种先入为主的形式、观念或风格。你想要它是什么样它就能变成什么样。但是，如果停止工作，生活对你而言会更容易——那就停止。不要惩罚自己。不过，我觉得创作已经深深地根植于你的内心了，所以对你来说更容易的是——

放手去做！

无论如何，似乎在某种程度上我能理解你的感受，因为我也时常经历类似的过程。我会对自己的工作进行一次"极度痛苦的重估"，然后尽可能多地改动一切——同时痛恨自己做过的所有作品，并试图去做些完全不一样的、更好的东西。也许这个过程对我来说是必要的，是它推动我不断前进。那种"我可以做得比刚才这破玩意更好"的感觉。也许你需要你的痛苦，好让你完成你正在做的事情。也许这痛苦能鞭策你做得更好。但这非常痛苦，我知道。如果你能有那种自信，只管去做，而甚至想都不需要想它们，那就更好了。你不能不去搭理"世界"和大写的"艺术"，也不能停止摩挲你的"自我"。我知道你(或任何人)都只能工作这么多，而剩下的时间你们总得自己想这想那的。但当你工作的时候，或者开始工作之前，你必须清空头脑,只专注于手上正在做的事情。你把东西做完之后,它就做完了,就是这样。再过一段时间,你会看出其中一些比另一些更好,但同时你也会看出自己正在往哪个方向走。我知道这些你肯定都懂。你也必须知道,你不需要为你的作品辩解,哪怕是对你自己。是的,你知道我非常喜欢你做的东西,我不知道你为什么要为此苦恼。但只有你能看见你接下来的作品,而我不能。你也一定要相信自己的能力。我觉得你是相信的。所以尝试去做你所能做的最荒唐的事情吧——震惊你自己。你无所不能。

我想看到你的作品,但又必须安分地等到 8 月或 9 月。我在露西那里看到了一些汤姆做的新东西的照片。它们让人印象深刻——特别是其中形式更严格、风格更简洁的那些。我猜他过后会寄更多来。告诉我那些展览怎么样了,以及其他诸如此类的事情。

你走之后,我的作品变了,变得比以前好得多了。我 5 月 4 日—29 日在东 64 街 17 号的丹尼尔斯画廊(之前埃默里赫那里)有个展览,我希望你们能来。爱你们两个。

索尔

PERMISSION CREDITS

Every effort has been made to trace copyright holders and obtain their permission for the use of copyright material. The publisher apologises for any errors or omissions and would be grateful if notified of any corrections that should be incorporated in future reprints or editions of this book.

LETTER 2 Courtesy Lucy R. Lippard.

LETTER 3 *Sebastion's Arrow: Letters and Mementos of Salvador Dalí and Federico García Lorca*, Edition © 2004 by Swan Isle Press Translation © 2004 by Christopher Maurer based on the original Spanish texts © Fundació Gala-Salvador Dalí and © Fundación Federica García Lorca. All rights reserved.

LETTER 4 By permission of the Oscar Howe family.

LETTER 5 Republished with permission of Princeton University Press, from *Artemisia Gentileschi: the image of the female hero in Italian Baroque art*, Mary D. Garrard, 1989; permission conveyed through Copyright Clearance Center, Inc.

LETTER 6 © 1973 *From Letters of C.G. Jung : Volume I*, 1906–1950 by C.G. Jung. Reproduced by permission of Taylor and Francis, a division of Informa plc. / Republished with permission of Princeton University Press from *Letters of C.G. Jung : Volume I*, 1906–1950 by C.G. Jung, 1973; permission conveyed through Copyright Clearance Center, Inc. / © 2007 Foundation of the Works of C.G. Jung.

LETTER 7 Reproduced by kind permission of Will Faller.

LETTER 10 Reproduced by kind permission of the Philadelphia Museum of Art / Letter by Henri Matisse: © Succession H. Matisse.

LETTER 11 Courtesy of The Fergusson Gallery, Perth & Kinross Council.

LETTER 13 By kind permission of Michael Grady.

LETTER 14 Reprinted with the permission of Hansjorg Mayer.

LETTER 15 Reprinted by kind permission of Martin Scorsese.

LETTER 17 Copyright © ARS, NY AND DACS, London 2019.

LETTER 18 © The Estate of Yves Klein c/o ADAGP Paris / DACSLondon, 2020.

LETTER 20 Adrian Piper, "Dear Editor, Please don't call me a...," 1. January 2003, http://www.adrianpiper.com/dear_editor.shtml, accessed 17 September 2019, © Adrian Piper Research Archive Foundation Berlin.

LETTER 21 From *Letters of the Great Artists From Ghiberti to Gainsborough* by Richard Friedenthal, translated by Daphne Woodward, © 1966. Reprinted by kind permission of Thames & Hudson Ltd, London.

LETTER 23 First published in German as Paula Modersohn-Becker in Briefen und Tagebuchern. © 1979 by S. Fischer Verlag GmbH, Frankfurt. English translation © 1983 by Taplinger Publishing Company Inc. Northwestern University Press edition published 1990 by arrangement with S. Fischer Verlag. All rights reserved.

LETTER 24 Reprinted with kind permission of Mark Pauline, Survival Research Labs.

LETTER 25 © Tate TGA 8313/1/1/162 Reproduced by permission of Tate Trustees.

LETTER 27 © 2019 Banco de México Diego Rivera & Frida Kahlo Museums Trust. Av. 5 de Mayo No. 2, col. Centro, alc. Cuauhtémoc, c.p. 06000, Mexico City.

LETTER 28 M.C. Escher's Letter to Mick Jagger © 2019 The M.C. Escher Company-The Netherlands. All rights reserved. mcescher.com / Reprinted with kind permission of Mick Jagger.

LETTER 29 Reprinted with kind permission of Hans Haacke.

LETTER 30 © ARS, NY and DACS, London 2019.

企 鹅 图 书
Penguin Books

出品人 **赵轩**
策划编辑 **郭宇萌**
营销编辑 **刘芸倩 赵亦南**
设计师 **索迪**